BLANC
2

McDOUGAL LITTELL

Discovering
FRENCH
Nouveau!

Unit 2 Resource Book

Components authored by Jean-Paul Valette and Rebecca M. Valette:

- Workbook
- Communipak
- Assessment Program
- Video Program
- Audio Program

Components authored by Sloane Publications:

- Family Letter, *Patricia Smith*
- Absent Student Copymasters, *E. Kristina Baer*
- Family Involvement, *Patricia Smith*
- Multiple Choice Test Items, *Patricia Smith*

Other Components

- Video Activities, *T. Jeffrey Richards, Philip D. Korfe, Consultant, Patricia Menard*
- Comprehensive (Semester) Tests, *T. Jeffrey Richards*
- Activités pour tous, *Patricia Menard*

ISBN: 0 - 618 - 29888 - 6

1 2 3 4 5 6 7 8 9 — MDO — 07 06 05 04 03

Discovering
FRENCH
Nouveau!

BLANC

Unité 2

Table of Contents

Table of Contents
Unité 2. Le Week-end, enfin!

URB
p. iv

To the Teacher

The Unit Resource Books that accompany each unit of *Discovering French, Nouveau!–Blanc* provide a wide variety of materials to practice, expand on, and assess the material in the *Discovering French, Nouveau!–Blanc* student text.

Components

Following is a list of components included in each Unit Resource Book, correlated to each **Leçon:**
- Workbook, Teacher's Edition
- *Activités pour tous*, Teacher's Edition
- Lesson Plans
- Block Scheduling Lesson Plans
- Family Letter
- Absent Student Copymasters
- Family Involvement
- Video Activities
- Videoscripts
- Audioscripts
- Lesson Quizzes

Unit Resources include the following materials:
- Communipak
- *Activités pour tous* Reading, Teacher's Edition
- Workbook Reading and Culture Activities, Teacher's Edition
- Lesson Plans for *Images*
- Block Scheduling Lesson Plans for *Images*
- Assessment
    Unit Test
    Listening Comprehension Performance Test
    Speaking Performance Test
    Reading Comprehension Performance Test
    Writing Performance Test
    Multiple Choice Test Items
    Comprehensive Test
    Test Scoring Tools
- Audioscripts
- Videoscripts for *Images*
- Answer Key

Component Description

Workbook, Teacher's Edition

The *Discovering French, Nouveau!–Blanc* Workbook directly references the student text. It provides additional practice to allow students to build their control of French and develop French proficiency. The activities provide guided communicative practice in meaningful contexts and frequent opportunity for self-expression.

Activités pour tous, Teacher's Edition

The activities in *Activités pour tous* include vocabulary, grammar, and reading practice at varying levels of difficulty. Each practice section is three pages long, with each page corresponding to a level of difficulty (A, B, and C). A is the easiest and C is the most challenging.

Lesson Plans

These lesson plans follow the general sequence of a *Discovering French, Nouveau!–Blanc* lesson. Teachers using these plans should become familiar with both the overall structure of a *Discovering French, Nouveau!–Blanc* lesson and with the format of the lesson plans and available ancillaries before translating these plans to a daily sequence.

Block Scheduling Lesson Plans

These plans are structured to help teachers maximize the advantages of block scheduling, while minimizing the challenges of longer periods.

Family Letter and Family Involvement

This section offers strategies and activities to increase family support for students' study of French language and culture.

Absent Student Copymasters

The Absent Student Copymasters enable students who miss part of a **Leçon** to go over the material on their own. The Absent Student Copymasters also offer strategies and techniques to help students understand new or challenging information. If possible, make a copy of the CD, video, or DVD available, either as a loan to an absent student or for use in the school library or language lab.

Video Activities and Videoscript

The Video Activities that accompany the Video or DVD for each module focus students' attention on each video section and reinforce the material presented in the module. A transcript of the Videoscript is included for each **Leçon**.

Audioscripts

This section provides scripts for the Audio Program and includes vocabulary presentations, dialogues, readings and reading summaries, audio for Workbook and Student Text activities, and audio for Lesson Quizzes.

Lesson Quizzes

The Lesson Quizzes provide short accuracy-based vocabulary and structure assessments. They measure how well students have mastered the new conversational phrases, structures, and vocabulary in the lesson. Also designed to encourage students to review material in a given lesson before continuing further in the unit, the quizzes provide an opportunity for focused cyclical re-entry and review.

Discovering French, Nouveau! Blanc

Communipak

The Communipak section contains five types of oral communication activities introduced sequentially by level of challenge or difficulty. Designed to encourage students to use French for communication in conversational exchanges, they include *Interviews*, *Tu as la parole*, *Conversations*, *Échanges*, and *Tête à tête* activities.

Assessment

Unit Tests

The Unit Tests are intended to be administered upon completion of each unit. They may be given in the language laboratory or in the classroom. The total possible score for each test is 100 points. Scoring suggestions for each section appear on the test sheets. The Answer Key for the Unit Tests appears at the end of the Unit Resource Book.

There is one Unit Test for each of the eight units in *Discovering French, Nouveau!–Bleu*. Each test is available in two versions: Form A and Form B. A complete Audioscript is given for the listening portion of the tests; the recordings of these sections appear on CDs 9–12.

Listening Comprehension Performance Test

The Listening Comprehension Test is designed for group administration. The test is divided into three parts, *Scènes et Situations*, *Conversations*, and *Contexte*. The listening selections are recorded on CD, and the full script is also provided so that the teacher can administer the test either by playing the CD or by reading the selections aloud.

Speaking Performance Test

These tests enable teachers to evaluate students' comprehension, ability to respond in French, and overall fluency. Designed to be administered to students individually, each test consists of two sections, *Conversations* and *Tu as la parole*.

Reading Comprehension Performance Test

These tests allow for evaluation of students' ability to understand material written in French. The Reading Comprehension Performance Test is designed for group administration. Each test contains several reading selections, in a variety of styles. Each selection is accompanied by one to four related multiple-choice questions in English.

Writing Performance Test

The Writing Performance Test gives students the opportunity to demonstrate how well they can use the material in the unit for self-expression. The emphasis is not on the production of specific grammar forms, but rather on the communication of meaning. Each test contains several guided writing activities, which vary in format from unit to unit.

Multiple Choice Test Items

These are the print version of the multiple choice questions from the Test Generator. They are contextualized and focus on vocabulary, grammar, reading, writing, and cultural knowledge.

Answer Key

The Answer Key includes answers that correspond to the following material:

- Video Activities
- Lesson Quizzes
- Communipak Activities
- Unit Tests
- Comprehensive Tests
- Performance Tests
- Multiple Choice Test Items

Nom _____

Classe _____ Date _____

Discovering
FRENCH
Nouveau!

BLANC

Unité 2
Leçon 5

Workbook TE

Unité 2. Le week-end, enfin!

LEÇON 5 Le français pratique: Les activités du week-end

LISTENING/SPEAKING ACTIVITIES

Section 1. Culture

A. Aperçu culturel: Le week-end

 Allez à la page 100 de votre texte. Écoutez.

	vrai	faux
1.	☑	☐
2.	☑	☐
3.	☐	☑
4.	☑	☐
5.	☐	☑
6.	☐	☑

Section 2. Vocabulaire et communication

B. La réponse logique

▶ Qu'est-ce que tu vas faire à la piscine?
    a. Je vais étudier.   **b. Je vais jouer au foot.**   (c.)**Je vais nager.**

1. (a.) En ville.
       b. Au stade.
       c. À la maison.

2. a. Oui, je vais retrouver mes copains.
       b. Non, je vais faire mes devoirs.
       (c.) Non, je vais sortir.

3. (a.) Une comédie.
       b. Un match de foot.
       c. Un concert de rock.

4. a. Oui, je vais en ville. Et toi?
       b. Oui, j'aime jouer aux jeux vidéo.
       (c.) Oui, j'aime prendre des bains de soleil.

5. a. Je vais louer la voiture.
       (b.) Je vais ranger mes affaires.
       c. Je vais bronzer.

Nom _____

Classe _____ Date _____

**Discovering
FRENCH**
Nouveau!

B L A N C

6. a. Oui, je vais voir
un film.
b. Oui, j'adore marcher.
c. Oui, je fais une promenade
à vélo.

7. a. Je monte à Opéra.
b. Je descends à Concorde.
c. Je n'ai pas de ticket.

8. a. Je fais des achats.
b. Je reste chez moi.
c. J'aime aller à la pêche.

9. a. C'est un poisson.
b. C'est une rose.
c. C'est une prairie.

10. a. C'est un canard.
b. C'est un écureuil.
c. C'est un lapin.

C. Le bon choix

▶ —Est-ce que Jean-Paul est au ciné ou au café?
—**Il est au café.**

1. Elle va à la piscine.
2. Il va rester à la maison.
3. Elle va assister à un concert.
4. Il va voir un film.
5. Il va laver la voiture.
6. Elle va aller à pied.
7. Il descend.
8. Il va passer le week-end à la campagne.

9. Elle fait une promenade à vélo.
10. Il va faire une promenade à cheval.
11. Elle va nager dans la rivière.
12. C'est une vache.
13. C'est une poule.
14. C'est un canard.
15. C'est un oiseau.

Nom _____

Classe _____ Date _____

Discovering FRENCH
Nouveau!
B L A N C

Unité 2
Leçon 5
Workbook TE

D. Dialogues

DIALOGUE A

Nous sommes samedi après-midi. Philippe parle à sa soeur Véronique.

PHILIPPE: Tu vas sortir _____ cet après-midi?

VÉRONIQUE: Oui, je vais aller en ville _____.

PHILIPPE: Tu vas faire des achats _____?

VÉRONIQUE: Non, je vais voir _____ un film.

PHILIPPE: Je peux venir avec toi?

VÉRONIQUE: Oui, si tu aimes marcher _____.

PHILIPPE: Comment, tu ne vas pas prendre _____ le bus?

VÉRONIQUE: Mais non, j'ai besoin d'exercise. . . Et toi aussi!

PHILIPPE: Bon, alors dans ce cas, je vais rester _____ à la maison.

DIALOGUE B

Nous sommes vendredi, Jérôme parle à Isabelle.

JÉRÔME: Tu vas rester chez toi demain?

ISABELLE: Non, je vais faire une promenade à vélo _____ avec un copain.

JÉRÔME: Où allez-vous aller?

ISABELLE: À la campagne _____.

JÉRÔME: Est-ce que tu vas prendre ton appareil-photo?

ISABELLE: Bien sûr! Il y a beaucoup d' animaux _____ intéressants là où nous allons.

JÉRÔME: Ah bon? Quoi?

ISABELLE: Des lapins _____, des écureuils et des oiseaux _____ de toutes sortes.

Discovering
FRENCH
Nouveau!

B L A N C

E. Répondez, s'il vous plaît!

▶ —Que fait Christine?
—**Elle fait des achats.**

1. Il lave sa voiture.   2. Il nettoie le garage. 3. Il va à pied.   4. Elle va prendre le bus.

5. Ils font un pique-nique.   6. Il fait une promenade à vélo.   7. Elle fait une promenade à cheval.   8. Il va aller à la pêche.

Questions personnelles

? ♦ 9	? ♦ 10	? ♦ 11	? ♦ 12	? ♦ 13

F. Situation: Le calendrier de Mélanie

8 mars *SAMEDI*	**9 mars** *DIMANCHE*
après-midi	*après-midi*
rester à la maison	faire une promenade à vélo
ranger mes affaires	aller à la campagne
soir	*soir*
aller au cinéma	étudier

Copyright © by McDougal Littell, a division of Houghton Mifflin Company.

Nom _____

Classe _____ Date _____

Discovering
FRENCH
Nouveau!
B L A N C

Unité 2
Leçon 5

Workbook TE

WRITING ACTIVITIES

A 1. L'intrus *(The intruder)*

Each of the following sentences can be logically completed by three of the four suggested options. The option that does *not* fit is the intruder. Cross it out.

1. Madame Sénéchal _____ sa voiture.

   répare   lave   nettoie   ~~rencontre~~

2. Monsieur Lambert est dans la cuisine. Il nettoie _____.

   ~~le dîner~~   les plats   la table   le réfrigérateur

3. Claire est à la maison. Elle _____ sa mère.

   aide   ~~assiste à~~   parle à   dîne avec

4. Philippe est à la maison aussi. Il range _____.

   sa chambre   ses affaires   ~~son frère~~   la chambre de son frère

5. Ce soir *(tonight)* Jérôme va _____ ses copains.

   retrouver   ~~ranger~~   voir   sortir avec

6. Nous allons assister à _____.

   un match   un concert   ~~une boutique~~   un récital
   de foot   de rock   ~~de disques~~   de piano

7. Catherine va voir _____ avec sa cousine.

   un film   un western   une comédie   ~~un cinéma~~

8. Éric va sortir. Il va _____.

   ~~rester à la~~   aller au dîner   au jouer   au tennis
   ~~maison~~   théâtre   restaurant

9. Marc va à la plage pour _____.

   bronzer   nager   ~~jouer aux~~   prendre un bain
                                               ~~jeux vidéos~~   de soleil

10. Catherine reste à la maison pour _____.

    étudier   aider ses parents   ~~faire des achats~~   ranger ses affaires

11. Comment est-ce que tu vas aller en ville? Est-ce que tu vas _____?

    aller à pied   prendre un taxi   ~~faire une~~   prendre ton vélo
                                               ~~promenade~~

12. Je vais prendre le métro. Je vais _____ à la station Étoile.

    monter   descendre   sortir   ~~visiter~~

Nom _____

Classe _____ Date _____

A 2. Projets de week-end (sample answers)

What do you think the following people are going to do this weekend?
Complete the sentences logically. Use your imagination.

▶ Pauline va aller en ville. **Elle va aller au ciné (faire des achats, . . .)** .

1. Thomas va sortir. Il *va rencontrer ses copains au café* .

2. Nicolas va sortir avec sa copine. Ils *vont assister à un concert* .

3. Valérie va rester à la maison. Elle *va faire ses devoirs* .

4. Stêphanie va retrouver une copine. Elles *vont faire des achats* .

5. Olivier et François vont au stade. Ils *vont jouer au foot* .

6. Sylvie va aller à la piscine. Elle *va nager avec ses copines* .

7. Mme Blanche va aller en ville. Elle *va faire des courses* .

8. M. Moreau va travailler à la maison. Il *va nettoyer le garage* .

B 3. Une visite à Paris

You are visiting Paris with Julie, a French friend. Your hotel is near Notre Dame. This
afternoon you have decided to visit the Arc de Triomphe. Complete the following dialogue
between you and Julie. Fill in the appropriate answers from the box.

VOUS: Qu'est-ce qu'on va faire cet après-midi?

JULIE: *On va visiter l'Arc de Triomphe.*

VOUS: Ah non! C'est trop loin!

JULIE: *Alors, on va prendre le métro.*

VOUS: D'accord. À quelle station est-ce qu'on monte?

JULIE: *À Châtelet.*

VOUS: Et où est-ce qu'on descend?

JULIE: *À l'Étoile.*

VOUS: Dis, combien coûtent les billets?

JULIE: *1 euro 30*

> • 1 euro 30.
> • À l'Étoile.
> • À Châtelet.
> • Alors, on va prendre le métro.
> • On va visiter l'Arc de Triomphe.

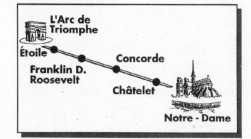

C 4. Photos d'animaux (sample answers)

Imagine that you spent a day in the country taking pictures of animals. Make a list of six
different animals that you saw.

J'ai pris des photos de (d') . . .

• *un canard*

• *une poule*

• *un cochon*

• *un lapin*

• *un cheval*

• *une vache*

Nom _____

Classe _____ Date _____ _____

Discovering
FRENCH
Nouveau!

BLANC

Unité 2
Leçon 5
Workbook TE

C 5. À la ferme

The following sentences can be logically completed by only *one* of the suggested choices. Read each sentence carefully and circle the letter of the logical completion.

▶ Mon oncle habite dans _____ à la campagne.

    a. un garage   b. une ville   (c.) une ferme   d. un lac

1. Dans cette ferme, il y a des vaches et _____.

    a. des feuilles   (b.) des cochons   c. des vélos   d. la campagne

2. Sur le lac, il y a _____.

    a. une poule   b. un cheval   (c.) un canard   d. un champ

3. Il y a _____ dans l'arbre.

    a. une vache   b. un lapin   c. un poisson   (d.) un ècureuil

4. _____ mange une carotte.

    a. L'oiseau   b. Le canard   (c.) Le lapin   d. La prairie

5. Le matin, _____ chantent.

    a. les arbres   b. les chevaux   c. les champs   (d.) les oiseaux

6. Je vais aller à la pêche. J'espère qu'il y a beaucoup de _____ dans la rivière.

    (a.) poissons   b. fleurs   c. plantes   d. écureuils

7. Je vais faire un tour dans la prairie et je vais cueillir *(to pick)* _____ pour faire un bouquet pour ma mère.

    a. des oiseaux   b. une vache   c. un canard   (d.) des fleurs

8. En automne les arbres de la forêt perdent leurs _____.

    a. fleurs   b. cheveux   (c.) feuilles   d. poules

C 6. Un week-end à la campagne   (sample answers)

Several friends are spending the weekend in the country. Describe what each one is doing, according to the illustration.

1. Marc *va à la pêche.*

2. Hélène *est en train de bronzer.*

3. Nous *faisons un pique-nique.*

4. Anne et Jérôme *font une randonnée à cheval.*

5. Éric et Jean *font un tour à vélo.*

6. Vous *faites une randonnée à pied.*

Nom _____

Classe _____ Date _____

👥 7. Communication (sample answers)

A. Préférences   List six activities that you like to do on weekends, ranking them in order of preference.

Le week-end, j'aime . . .

1.	écouter la radio	4.	aller au centre-ville
2.	rencontrer des copains	5.	jouer de la guitare
3.	lire un livre	6.	aller au musée

B. Il pleut!   Unfortunately it is raining this weekend. List three things that you can do to be helpful around the house.

1. Je peux ranger ma chambre.

2. Je peux nettoyer la cuisine.

3. Je peux nettoyer le garage.

C. Week-end chez mon oncle   Imagine that you have been invited to spend next weekend at your uncle's farm. Write a letter to your friend Paul telling him about your plans. Use a separate piece of paper if necessary.

Tell him. . .

• where you are going to spend the weekend

• what day you are going to leave and what day you are going to come back

• what animals you are going to see at the farm

• what you are going to do on Saturday (name two different activities)

• what you are going to do on Sunday (name two other activities)

(date)

Mon cher Paul,

Le week-end prochain je vais aller chez mon oncle Ricard à la campagne. Je vais partir vendredi soir et rentrer dimanche soir.

Mon oncle habite dans une ferme. Je vais voir des canards, des chevaux, des cochons, des poules et des vaches.

Le samedi nous allons aller à la pêche et faire une randonnée à cheval. Le dimanche nous allons nager dans le lac et faire un pique-nique.

J'espère que je vais passer un bon weekend.
        Amicalement,

(signature)

Nom _____

Classe _____ Date _____

Discovering
FRENCH
Nouveau!

B L A N C

Unité 2
Leçon 5

Activités pour tous TE

Unité 2. Le week-end, enfin!

LEÇON 5 Les activités du week-end

A

Activité 1 Les endroits

Écrivez une activité sous chaque image.

assister à un match	ranger	faire des achats	voir un film	nager

nager   faire des achats   assister à   voir un film   ranger
                                        un match

Activité 2 Le week-end

Entourez la réponse la plus logique.
—Qu'est-ce que tu vas faire samedi?
—Je vais aller à pied. / *Je vais faire des achats.*
—Où vas-tu aller?
—Je vais prendre la direction Balard. / *Je vais aller au centre commercial des Halles.*
—Comment vas-tu aller là-bas?
—Je vais descendre à Opéra. / *Je vais prendre le bus.*

Activité 3 Les animaux

Sous chaque image, mettez le nom de l'animal.
C'est à vous d'ajouter l'article indéfini (**un, une**).

poule	lapin	cochon	cheval	oiseau	vache

un cochon   un cheval   une vache   un oiseau   une poule   un lapin

Nom _____

Classe _____ Date _____

Discovering
FRENCH
Nouveau!

B L A N C

B

Activité 1 Équivalences

Faites correspondre les activités équivalentes.

_b_ 1. On va bronzer à la plage.

_e_ 2. On va aider nos parents.

_d_ 3. Elle va rencontrer des copains au café.

_a_ 4. Elle va dans les magasins.

_c_ 5. On va rester à la maison.

a. Karine fait des achats.

b. Nous allons prendre un bain de soleil.

c. Nous n'allons pas sortir.

d. Isabelle va retrouver des amis en ville.

e. Nous allons nettoyer le garage.

Activité 2 Les endroits

Complétez les phrases suivantes.

plage	stade	maison	ferme	piscine

1. Pour _____, on va _à la piscine_ _____.

2. Pour _____, on va _au stade_ _____.

3. Pour _____, on va _à la plage_ _____.

4. Pour voir _____, on visite _une ferme_ _____.

5. Pour _____, on reste _à la maison_ _____.

Activité 3 L'intrus

Mettez un cercle autour du mot qui ne va pas avec les autres.

1. la rivière   (la fleur)   le lac
2. (le poisson)   le champ   la prairie
3. le canard   (l'arbre)   la poule
4. (la vache)   la forêt   l'arbre

5. le lapin   l'écureuil   (la feuille)
6. le billet   (le stade)   le ticket
7. (monter)   marcher   aller à pied
8. à la plage   à la campagne   (à la maison)

Nom _____

Classe _____ Date _____

Discovering FRENCH Nouveau!

BLANC

Unité 2
Leçon 5

Activités pour tous TE

C

Activité 1 Questions

Répondez aux questions suivantes. *Answers will vary. Sample answers:*

1. Comment est-ce que tu vas en ville?

   Je vais en ville à pied.

2. Où est-ce que tu retrouves tes copains?

   Je retrouves mes copains au café.

3. Quand tu vas au centre commercial, qu'est-ce que tu achètes?

   J'achète des CD.

4. Qu'est-ce que tu fais pour aider tes parents?

   Je range ma chambre et je fais la vaisselle.

Activité 2 Les endroits

Décrivez ce que tu fais dans les endroits suivants. *Answers will vary. Sample answers:*

1. *J'assiste à un match.*

2. *Je prends un bain de soleil.*

3. *Je rencontre des amis.*

4. *Je fais des achats.*

Activité 3 La faune et la flore

Écrivez deux choses ou deux animaux que vous pouvez trouver dans les endroits suivants.
Utilisez chaque mot une fois seulement. *Answers will vary. Sample answers:*

1. un lac: *des poissons*   *un bateau*

2. le garage: *une voiture*   *une mobylette*

3. une ferme: *des vaches*   *des chevaux*

4. un arbre: *une feuille*   *un oiseau*

5. la montagne: *des rivières*   *des forêts*

LEÇON 5 Les activités du week-end, page 100

Objectives

Communicative Functions and Topics
To discuss weekend activities and weekend plans
To discuss going out with friends and helping at home
To be able to get around in Paris by subway
To talk about visiting the countryside
To discuss farms and animals in the countryside

Linguistic Goals
To use *aller* + infinitive for future activities
To use expressions with *faire*

Cultural Goals
To learn about *le métro*, the Paris subway system

Motivation and Focus

❑ Have students look at the pictures on pages 100–101 and tell where the people in the photos are and what they are doing. Discuss similarities and differences between French and American weekend activities. Read *Thème et Objectifs* on page 98 to preview the content of the unit.

Presentation and Explanation

❑ *Lesson Opener:* Have students look at the pictures on pages 100–101 and read *Aperçu culturel*. . . . Students can comment on weekend activities that they enjoy. Play **Audio** CD 2, Track 1 or read the opening text. Have students reread the text and list all the activities they recall. Check understanding with QUESTIONS SUR LE TEXTE, page 100 in the TE. Explain the CULTURAL NOTES on page 101 in the TE. Play **Video** 1 or **DVD** 1, Counter 20:04–24:15.

❑ *Vocabulary A:* To introduce weekend activities, model the expressions in *Un week-end en ville*, page 96, using **Overhead Transparencies** 19 and 20. Have students talk about their own weekend activities using the expressions in the box. Play **Audio** CD 2, Track 2.

❑ *Vocabulary B:* Present *Un week-end à Paris*, page 104, using **Overhead Transparency** 21. After modeling, have students repeat the expressions in the box. Play **Audio** CD 2, Track 3.

❑ *Vocabulary C:* Introduce vocabulary related to a weekend in the country using **Overhead Transparencies** 22 and 23. Model *Un week-end à la campagne*, page 106. Play **Audio** CD 2, Track 4.

Guided Practice and Checking Understanding

❑ Have students practice discussing weekend plans with **Overhead Transparencies** 19–23. Students can identify activities, times, places, and give other information about their plans. Use the EXTRA PRACTICE: À LA CAMPAGNE activity on page 106 in the TE with **Overhead Transparency** 23.

❑ To check listening comprehension, use **Audio** CD 7, Tracks 1–6 or read from the **Audioscript** as students do **Workbook** Listening/Speaking Activities A–F on pages 45–48.

❑ Play the **Video** or read the **Videoscript** as students do **Video Activites** 1–8, pages 24–27.

Independent Practice

❑ Model the activities on pages 103–107. Assign Activity 1 for homework; then follow the suggestions in CLASSROOM MANAGEMENT, page 103 in the TE. Have students do Activities 3 and 4 alone or in pairs. Do Activity 2 in pairs.

❑ Have pairs of students do **Communipak** *Tu as la parole* 1–2, page 156.

❑ Have students do any appropriate activities in **Activités pour tous**, pages 41–43.

Monitoring and Adjusting

❏ Have students complete the **Workbook** Writing Activities on pages 49–52 and the Reading and Culture Activities on page 73.
❏ Monitor language used to discuss weekend activities as students work on the practice activities. Refer back to the vocabulary boxes as needed.

Assessment

❏ Administer Quiz 5 on pages 39–40 after completing the lesson's activities. Adjust lesson quizzes to the class's specific needs by using the **Test Generator**.

Reteaching

❏ Redo any activities from the **Workbook** that students found difficult.
❏ Students can use the **Video** to review portions of the lesson.
❏ Students can review vocabulary with **Teacher to Teacher** pages 16–17.

Summary and Closure

❏ Have students prepare the role plays described in the Goal T activity on page A11 of **Overhead Transparency** S5, or the second Goal 1 activity on page A30, using **Overhead Transparency** S17. As they present their role plays, guide students to summarize the communicative functions practiced in this lesson.

End-of-Lesson Activities

❏ *Au jour le jour:* Use **Overhead Transparencies** 4a and b to review Paris points of interest and subway stops. Have students read the list of sites and stations on page 98 and find them on the maps. Read the information in the *Note culturelle* about *Le métro de Paris*. Share the information in the TE margin about ticket prices and the CULTURAL NOTES on pages 104–105 in the TE. Do USING THE MÉTRO MAP, page 105 in the TE, to practice giving directions and recognizing subway stops and routes in Paris.

B L A N C

LEÇON 5   Les activités du week-end, page 100

Block Scheduling (2 Days to Complete)

Objectives

Communicative Functions and Topics
To discuss weekend activities and weekend plans
To discuss going out with friends and helping at home
To be able to get around in Paris by subway
To talk about visiting the countryside
To discuss farms and animals in the countryside

Linguistic Goals
To use *aller* + infinitive for future activities
To use expressions with *faire*

Cultural Goals
To learn about *le métro*, the Paris subway system

Block Schedule

Fun Break Play 20 Questions with the vocabulary from Leçon 5. Ask a student to think of one of the vocabulary words from the lesson. The rest of the class asks questions until someone thinks they know what the word is. The student then calls on that student to guess the word. Sample questions are: *C'est un animal/plante/endroit/etc? Est-ce qu'on mange cet animal? Est-ce qu'on nage dans cet endroit?* ■

Day 1
Motivation and Focus

❏ Have students look at the pictures on pages 100–101 and tell where the people in the photos are and what they are doing. Discuss similarities and differences between French and American weekend activities. Read *Thème et Objectifs* on page 98 to preview the content of the unit.

Presentation and Explanation

❏ *Lesson Opener:* Have students look at the pictures on pages 100–101 and read *Aperçu culturel*. . . . Students can comment on weekend activities that they enjoy. Play **Audio** CD 2, Track 1 or read the opening text. Have students reread the text and list all the activities they recall. Check understanding with QUESTIONS SUR LE TEXTE, page 100 in the TE. Explain the CULTURAL NOTES on page 101 in the TE. Play **Video** 1 or **DVD** 1, Counter 20:04–24:15.

❏ *Vocabulary A:* To introduce weekend activities, model the expressions in *Un week-end en ville*, page 102, using **Overhead Transparencies** 19 and 20. Have students talk about their own weekend activities using the expressions in the box. Play **Audio** CD 2, Track 2.

❏ *Vocabulary B:* Present *Un week-end à Paris*, page 104, using **Overhead Transparency** 21. After modeling, have students repeat the expressions in the box. Play **Audio** CD 2, Track 3.

❏ *Vocabulary C:* Introduce vocabulary related to c weekend in the country using **Overhead Transparencies** 22 and 23. Model *Un week-end à la campagne*, page 106. Play **Audio** CD 2, Track 4.

Guided Practice and Checking Understanding

❏ Have students practice discussing weekend plans with **Overhead Transparencies** 19–23. Students can identify activities, times, places, and give other information about their plans. Use the EXTRA PRACTICE: À LA CAMPAGNE ACTIVITY on page 106 in the TE with **Overhead Transparency** 23.

Discovering
FRENCH
Nouveau!

BLANC

Unité 2
Leçon 5

Block Scheduling
Lesson Plans

❑ Play the **Video** or read the **Videoscript** as students do **Video Activites** 1–8, pages 24–27.
❑ To check listening comprehension, use **Audio** CD 7, Track 1–6 or read from the **Audioscript** as students do **Workbook** Listening/Speaking Activities A–F on pages 45–48.

Independent Practice

❑ Model the activities on pages 103–107. Assign Activity 1 for homework; then follow the suggestions in CLASSROOM MANAGEMENT, page 103 in the TE. Have students do Activities 3 and 4 alone. Do Activity 2 in pairs.
❑ Have pairs of students do **Communipak** *Interview* 1, page 152 and *Tu as la parole* 1–2, page 156.
❑ Have students do any appropriate activities in **Activités pour tous**, pages 41–43.

Day 2

Motivation and Focus

❑ Have students do the **Block Scheduling Activity** at the top of the previous page.

Monitoring and Adjusting

❑ Have students complete the **Workbook** Writing Activities on pages 49–52 and the Reading and Culture Activities on page 73. Monitor students as they complete the activities, referring back to the vocabulary boxes as needed.

End-of-Lesson Activities

❑ *Au jour le jour:* Use **Overhead Transparencies** 4a and b to review Paris points of interest and subway stops. Have students read the list of sites and stations on page 98 and find them on the maps. Read the information in the *Note culturelle* about *Le métro de Paris.* Share the information in the TE margin about the metro in the CULTURAL NOTES on pages 104–105 in the TE. Do USING THE MÉTRO MAP, page 105 in the TE, to practice giving directions and recognizing subway stops and routes in the metro in Paris.

Reteaching (as needed)

❑ Students can review vocabulary with **Teacher to Teacher** pages 16–17.
❑ Students can use the **Video** to review portions of the lesson.

Extension and Enrichment (as desired)

❑ Use **Block Scheduling Copymasters**, pages 41–48.
❑ For expansion activities, direct students to www.classzone.com.

Summary and Closure

❑ Have students prepare the role play described in the Goal 1 activity on page A30 of **Overhead Transparency** S17. After they present their role plays, guide students to summarize the communicative functions practiced in this lesson.

Assessment

❑ Administer Quiz 5 on pages 39–40 after completing the lesson's activities. Adjust lesson quizzes to the class's specific needs by using the **Test Generator**.

Date:

Dear Family,

In French class, your student is learning to describe weekend activities. He or she is learning to talk about leisure activities in general and to describe events in the past. In order to do this, students are deepening their understanding of the past tense for regular and some irregular verbs in both the affirmative and negative. They are learning how to use expressions of time. In addition, students are learning about typical weekend activities for French youth as well as how to take the subway in Paris.

As part of the *Discovering French* program, our focus is on authentic communication skills and real-life scenarios to teach students about French-speaking people and the culture of the French-speaking world. By comparing French language and culture with our own community, students gain a deeper understanding of the similarities and differences that exist between the two.

Please feel free to call me with any questions or concerns you might have as your student practices reading, writing, listening, and speaking in French.

Sincerely,

Nom _____

Classe _____ Date _____

Discovering FRENCH *Nouveau!*

B L A N C

Unité 2 Leçon 5
Absent Student Copymasters

LEÇON 5 Le français pratique: Les activités du week-end, pages 100–101

Materials Checklist

❑ **Student Text**
❑ **Audio** CD 2, Track 1; **Audio** CD 7, Track 1
❑ **Video** 1 or **DVD** 1, Counter 20:04–21:01
❑ **Workbook**

Steps to Follow

❑ Before you watch the **Video** or **DVD,** read *Aperçu culturel . . . Le week-end* on p. 100.
❑ Look at the photos on pages 100–101 in the text. Try to identify where the people in the photographs are. Listen to **Audio** CD 2, Track 1.
❑ Do Listening/Speaking Activities Section 1, Activity A in the **Workbook** (p. 45). Listen to **Audio** CD 7, Track 1.
❑ Watch **Video** 1 or **DVD** 1, Counter 20:04–21:01. Pause and replay if necessary.
❑ Based on your own experience, answer the questions in *Comparaisons culturelles* in the text (p. 101).

If You Don't Understand . . .

❑ Watch the **Video** or **DVD** in a quiet place. Try to stay focused. If you get lost, stop the **Video** or **DVD**. Replay it and find your place.
❑ Listen to the **CDs** in a quiet place. If you get lost, stop the **CDs**. Replay them and find your place. Try to sound like the people on the recording.
❑ On a separate sheet of paper, write down new words and expressions. Check for meaning.
❑ Say aloud anything you write. Make sure you understand everything you say.
❑ Write down any questions so that you can ask your partner or your teacher later.

Self Check

Répondez aux questions suivantes.

1. Qu'est-ce que Mathilde fait à la Maison des Jeunes et de la Culture?
2. Qu'est-ce que Karine et Sophie adorent faire le samedi après-midi?
3. Que font Julien et ses copains au café?
4. Où va Sabine le samedi soir?
5. Le dimanche, où est-ce que Sophie va souvent dîner?
6. Est-ce que Michel fait une promenade en ville le dimanche après-midi?
7. Qui finit ses devoirs le dimanche soir?

Answers

7. Claire finit ses devoirs le dimanche soir.
dîner chez ses grands-parents. 6. Le dimanche Michel fait une promenade à la campagne.
regardent les gens. 4. Sabine va au ciné avec ses copains. 5. Le dimanche, Sophie va souvent
après-midi. 3. Julien et ses copains ne mangent pas beaucoup au café. Ils discutent ou bien il
1. Mathilde suit des cours de théâtre. 2. Karine et Sophie adorent faire les magasins le samedi

URB
p. 17

Nom _____

Classe _____ Date _____

Discovering
FRENCH
Nouveau!

B L A N C

A. Vocabulaire: Un week-end en ville, pages 102–103

Materials Checklist

❑ **Student Text**
❑ **Audio** CD 2, Track 2
❑ **Video** 1 or **DVD** 1, Counter 21:02–23:08
❑ **Workbook**

Steps to Follow

❑ Study *Vocabulaire: Un week-end en ville* (p. 102). Say the model sentences aloud. Check meanings. Listen to **Audio** CD 2, Track 2.
❑ Copy the present-tense forms of the verb **nettoyer** (p. 102). Circle the endings.
❑ Do Activities 1 and 2 in the text (p. 103). Write the answers in complete sentences on a separate sheet of paper. Underline the new vocabulary and expressions in each sentence.
❑ Watch **Video** 1 or **DVD** 1, Counter 21:02–23:08. Pause and replay if necessary.
❑ Do Writing Activities A 1–2 in the **Workbook** (pp. 49–50).

If You Don't Understand . . .

❑ Reread activity directions. Put the directions in your own words.
❑ Read the model several times. Be sure you understand it.
❑ Say aloud everything that you write. Be sure you understand what you are saying.
❑ When writing a sentence, ask yourself, "What do I mean? What am I trying to say?"
❑ Watch the **Video** or **DVD** in a quiet place. Try to stay focused. If you get lost, stop the **Video** or **DVD**. Replay it and find your place.
❑ Listen to the **CD** in a quiet place. Try to stay focused. If you get lost, stop the **CD**. Replay it and find your place.
❑ Write down any questions so that you can ask your partner or your teacher later.

Self Check

Faites des phrases d'après le modèle. Soyez logique.

▶ le week-end / il / rencontrer des amis
Le week-end il rencontre des amis.

1. le samedi / nous / nettoyer / la maison
2. samedi après-midi / vous / assister à / un match de foot
3. le samedi soir / elles / ranger / leur chambre
4. dimanche matin / tu / faire une promenade
5. le dimanche après-midi / je / laver / la voiture
6. dimanche soir / il / voir un film

Answers

1. Le samedi nous nettoyons la maison.   2. Samedi après-midi vous assistez à un match de foot.   3. Le samedi soir elles rangent leur chambre.   4. Dimanche matin tu fais une promenade.   5. Le dimanche après-midi je lave la voiture.   6. Dimanche soir il voit un film.

Nom _____

Classe _____ Date _____

Discovering FRENCH *Nouveau!*

B L A N C

Unité 2
Leçon 5

Absent Student
Copymasters

B. Vocabulaire: Un week-end à Paris, pages 104–105

Materials Checklist

❑ **Student Text**
❑ **Audio** CD 2, Track 3
❑ **Workbook**

Steps to Follow

❑ Study *Vocabulaire: Un week-end à Paris* (p. 104). Copy the model sentences and say each one aloud. Circle the new words or expressions in each sentence. Check meanings. Listen to **Audio** CD 2, Track 3.
❑ Read *Au jour le jour: Le métro de Paris* (p. 104) silently. Then read it aloud. Check the meaning of any words you do not understand.
❑ Do Activity 3 in the text (p. 105). Write your answers in complete sentences on a separate sheet of paper. Read each answer aloud.
❑ Do Writing Activity B 3 in the **Workbook** (p. 50).

If You Don't Understand . . .

❑ Reread activity directions. Put the directions in your own words.
❑ Read the model several times. Be sure you understand it.
❑ Say aloud everything that you write. Be sure you understand what you are saying.
❑ When writing a sentence, ask yourself, "What do I mean? What am I trying to say?"
❑ Listen to the **CD** in a quiet place. Try to stay focused. If you get lost, stop the **CD**. Replay it and find your place.
❑ Write down any questions so that you can ask your partner or your teacher later.

Self Check

Relisez *Au jour le jour: Le métro de Paris* et répondez aux questions suivantes.

1. Comment est-ce que les Parisiens visitent Paris?
2. Pourquoi est-ce que les Parisiens prennent le métro?
3. Il y a combien de lignes différentes?
4. Comment peut-on savoir comment aller à sa destination?
5. Qu'est-ce qui est indiqué sur le plan du métro?

Answers

1. Ils prennent le métro. 2. Les Parisiens prennent le métro parce qu'il est pratique et économique. 3. Il y a seize lignes différentes. 4. Pour savoir comment aller à votre (sa) destination, vous devez (on doit) consulter le plan du métro. 5. Le plan indique la ligne et la station.

Nom _____

Classe _____ Date _____

**Unité 2
Leçon 5**

**Absent Student
Copymasters**

Discovering
FRENCH
Nouveau!

BLANC

C. Vocabulaire: Un week-end à la campagne, pages 106–107

Materials Checklist

❑ **Student Text**
❑ **Audio** CD 2, Track 4; **Audio** CD 7, Tracks 2–6
❑ **Video** 1 or **DVD** 1, Counter 23:09–24:15
❑ **Workbook**

Steps to Follow

❑ Study *Vocabulaire: Un week-end à la campagne* (p. 106). Copy the model sentences. Say them aloud. Circle the new words and expressions in each sentence. Listen to **Audio** CD 2, Track 4.

❑ Study *À la campagne* (p. 106). Write the new words on a separate sheet of paper. Say each one aloud.

❑ Use **Audio** CD 7, Tracks 2–6. Do Listening/Speaking Activities Section 2, Activities B–F in the **Workbook** (pp. 45–48).

❑ Read *Note culturelle* (p. 107). Answer the questions in *Et vous?*

❑ Watch **Video** 1 or **DVD** 1, Counter 23:09–24:15. Pause and replay if necessary.

❑ Do Writing Activities C 4–6 in the **Workbook** (p. 50–51).

If You Don't Understand . . .

❑ Reread activity directions. Put the directions in your own words.
❑ Read the model several times. Be sure you understand it.
❑ Say aloud everything that you write. Be sure you understand what you are saying.
❑ When writing a sentence, ask yourself, "What do I mean? What am I trying to say?"
❑ Watch the **Video** or **DVD** in a quiet place. If you get lost, stop the **Video** or **DVD**. Replay it and find your place.
❑ Listen to the **CDs** in a quiet place. Try to stay focused. If you get lost, stop the **CDs**. Replay them and find your place.
❑ Write down any questions so that you can ask your partner or your teacher later.

Self Check

Relisez *Note culturelle* et répondez aux questions suivantes.

1. Qu'est-ce que les habitants des grandes villes aiment avoir dans leur appartement?
2. Où vont les habitants des grandes villes le week-end?
3. Le dimanche, quand il fait beau, qu'est-ce qu'ils font?
4. Est-ce que les jeunes vont à la pêche pendant la semaine?
5. Est-ce que les Français aiment la nature et les animaux?

Answers

1. Les habitants des grandes villes aiment avoir des plantes et des fleurs dans leur appartement. 2. Les habitants des grandes villes vont souvent à la campagne le week-end. 3. Le dimanche, quand il fait beau, ils font des pique-niques sur l'herbe et des promenades. 4. Non, les jeunes vont à la pêche le week-end. 5. Les Français adorent la nature et les animaux.

Nom _____

Classe _____ Date _____

Discovering
FRENCH
Nouveau!

BLANC

Unité 2
Leçon 5

Family Involvement

LEÇON 5 Le français pratique:
Les activités du week-end

À la campagne

Ask a family member to imagine that he or she is going to the country. Find out which activity he or she prefers.

- First, explain the assignment.
- Next, help the family member pronounce the words. Model the pronunciation as you point to each picture.
- Then, ask the question, **Qu'est-ce que tu préfères faire à la campagne?**
- Once you have an answer, complete the sentence below.

**faire un
pique-nique**   **faire une
promenade**   **faire un tour
à vélo**   **aller à
la pêche**

_____ **préfère** _____.

Nom _____

Classe _____ Date _____ _____

À la ferme

Ask a family member to imagine that she or he has inherited a farm in the country. However, only three different types of animals can live on the farm. Have the family member identify the three animals he or she would like to raise.

- First, explain your assignment.
- Next, help the family member pronounce the words. Model the pronunciation as you point to each picture.
- Then, ask the question, **Quels animaux préfères-tu?**
- After you get the answer, complete the sentence below.

les vaches   **les cochons**   **les chevaux**   **les poules**   **les lapins**

_____ **préfère** _____ .

Discovering
FRENCH
Nouveau!

BLANC

Unité 2
Leçon 5

Video Activities

LEÇON 5 Le français pratique: Les activités du week-end

Cultural Commentary

◉ French families are similar in many ways to American families and try to set aside some time for the family. Usually, this is Sunday, when most stores are closed.

◉ Clothing tends to be quite expensive in France, and teenagers work hard to make sure that their "look" is up-to-date, without costing a fortune. By walking along the Avenue Montaigne and looking in the windows of designers such as Dior, Chanel, Yves Saint-Laurent, Givenchy, Hermès, and Christian Lacroix, they can see what the fashion trends and colors are, and then create their own style with far less expensive, but similar, clothes.

◉ French designers are known throughout the world and Paris has been the center of **haute couture** since the days of Louis XIV, who established the patterns of behavior and fashion etiquette at the court of Versailles.

◉ Astérix and Obélix are famous cartoon and comic book characters. Astérix is based on the first French hero, Vercingétorix, who tried to rally the Gallic villagers to fight against the Roman invader, Jules César. Obélix is his trusted friend who is always pictured carrying a huge stone.

◉ The French love to keep in shape and swimming plays an important part. There is a **piscine municipale** in virtually every town with hours open to the public for a small fee.

◉ The French value privacy very highly. The shutters **(volets)** on this house would be closed at nightfall, and houses are typically surrounded by walls or fences between neighbors and facing the street. The shutters are open during the day; in nice weather, the windows are left open, too, to air linens and provide fresh air. Windows generally open outward, and there are no screens.

◉ The high school here is named after artist Paul Cézanne (1839–1906). Though a contemporary of the Impressionists, he was more concerned with mass and color. He was born in Aix-en-Provence, studied for a while in Paris, and returned to Aix to paint in his later years, when he created many of his still lifes.

Discovering
FRENCH
Nouveau!

BLANC

LEÇON 5 Le français pratique:
Les activités du week-end

Activité 1. Anticipe un peu!

1. List three things you would like to do on a weekend and where you would do them.

_____

_____

2. When you visit a city, what are some of the ways you might get around to see various areas?

_____

_____

3. If you went to the countryside for the weekend, what are some of the things you might expect to see or do there? Try to list at least five things.

_____

_____

_____

Activité 2. Vérifie!   Counter 20:04–24:15

1. En général, les élèves français quittent l'école vers ___.
   a. 3h   b. 4h   c. 5h

2. Yasmina va ___.
   a. acheter des vêtements   b. regarder des robes   c. gagner de l'argent

3. Charlotte vient ___.
   a. du stade   b. de la piscine   c. du ciné

4. Qu'est-ce que Mariama a trouvé dans les champs?
   a. un pique-nique   b. un cheval   c. des fleurs

5. Est-ce que Nicolas a pris des poissons?
   a. Oui, beaucoup.   b. Oui, mais seulement un.   c. Non, rien du tout.

Nom _____

Classe _____ Date _____

Activité 3. Qu'est-ce qu'on fait?

Watching the video, check all the activities that people do in town.

❑ aller dans les magasins

❑ aller au théâtre

❑ aller au ciné

❑ aller à la bibliothèque

❑ aller à la piscine

❑ rester à la maison

Activité 4. Vrai ou faux?

Decide whether the following statements are true or false and circle V or F.

V   F   1. Les jeunes Français sortent le plus souvent le vendredi soir.

V   F   2. Mariama et Yasmina n'ont pas assez d'argent.

V   F   3. Mariama et Yasmina achètent beaucoup de nouveaux vêtements.

V   F   4. Malik attend son frère.

V   F   5. Nicolas va aller au ciné avec Malik.

V   F   6. Ils vont voir un drame psychologique.

V   F   7. Charlotte vient de la plage.

V   F   8. Charlotte n'a pas nagé.

V   F   9. Nicolas aide sa mère.

V   F   10. Malik va aider Nicolas et après ils vont sortir.

Discovering
FRENCH
Nouveau!
B L A N C

Activité 5. Où?

Draw lines to match the item on the left with the appropriate place on the right.

1. les fleurs

2. le père de Nicolas   dans les champs

3. un pique-nique

4. les lapins   dans la forêt

5. une promenade

6. un écureuil   dans la rivière

7. les poissons

8. les oiseaux

Activité 6. Qui?

Circle the name of the person to whom the statement refers.

1. Elle a trouvé des fleurs.	Yasmina	Mariama	Malik	Nicolas
2. Elle a fait un pique-nique.	Yasmina	Mariama	Malik	Nicolas
3. Elle a fait une promenade.	Yasmina	Mariama	Malik	Nicolas
4. Elle a vu des animaux.	Yasmina	Mariama	Malik	Nicolas
5. Il est allé à la pêche.	Yasmina	Mariama	Malik	Nicolas
6. Il est allé avec son père.	Yasmina	Mariama	Malik	Nicolas
7. Son père est tombé dans l'eau.	Yasmina	Mariama	Malik	Nicolas

Nom _____

Classe _____ Date _____

Discovering FRENCH *Nouveau!*

B L A N C

Activité 7. Mots croisés

Complete the following puzzle with the French words for things you might find or see in the country.

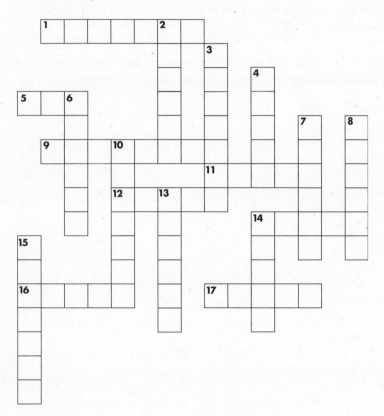

Horizontalement

1. fish
5. lake
9. squirrel
11. rabbit
12. cow
14. forest
16. tree
17. hen

Verticalement

2. bird
3. leaf
4. field
6. pig
7. duck
8. plant
10. river
13. horse
14. flower
15. prairie

Activité 8. Projets de week-end

Write a dialogue in which you and one or two friends make plans for the weekend. Then role-play it for the class. Who is going to have the best weekend?

BLANC

LEÇON 5   Le français pratique: Les activités du week-end

Video 1, DVD 1   pp. 100–101

Counter 20:04–21:01

MATTHIEU: Pendant la semaine, les élèves français ont beaucoup de travail. Ils ne quittent pas le collège ou le lycée avant cinq heures. Et quand ils sont rentrés chez eux, ils doivent faire leurs devoirs.

Le week-end, c'est différent. Le week-end, ils sortent souvent avec leurs copains et le dimanche est généralement réservé pour la famille. Regardez bien.

Section 1: Un week-end en ville, p. 102

Counter 21:02–21:32

CHARLOTTE: Salut! Où allez-vous comme ça?

YASMINA: On va aller dans les magasins.

CHARLOTTE: Vous allez acheter des vêtements?

MARIAMA: Non, on n'a pas assez d'argent.

YASMINA: On va juste regarder les nouvelles robes.

Counter 21:33–22:02

NICOLAS: Salut, Malik. Qu'est-ce que tu fais là?

MALIK: Ben, j'attends mon cousin. On a rendez-vous à deux heures. On va aller au ciné.

NICOLAS: Qu'est-ce que vous allez voir?

MALIK: "Astérix et Obélix contre César."

NICOLAS: Je peux aller au ciné avec vous?

MALIK: Bien sûr!

Counter 22:03–22:19

CHARLOTTE: Salut, Yasmina.

YASMINA: Salut, Charlotte. D'où viens-tu?

CHARLOTTE: De la piscine.

YASMINA: Tu aimes nager?

CHARLOTTE: Oui, mais je n'ai pas nagé. J'ai pris un bon bain de soleil. Regarde comme j'ai bronzé!

Counter 22:20–23:08

MATTHIEU: Tout le monde ne va pas en ville. Parfois on reste à la maison pour faire différentes choses. Regardez.

MALIK: Mais dis donc! Tu ne sors pas aujourd'hui? C'est samedi!

NICOLAS: Non, je dois aider ma mère.

MALIK: Qu'est-ce que tu fais?

NICOLAS: Eh bien, j'ai nettoyé la cuisine et maintenant je range le salon.

MALIK: Je vais t'aider et après on va sortir.

NICOLAS: Merci Malik, tu es vraiment sympa.

Section 2: Un week-end à la campagne, p. 106

MATTHIEU: Beaucoup de jeunes passent le dimanche avec leurs parents. Souvent toute la famille fait un tour à la campagne.

YASMINA: Dis, Mariama, où as-tu trouvé ces fleurs?

MARIAMA: Dans les champs.

YASMINA: Tu es allée à la campagne?

MARIAMA: On a fait un pique-nique en famille et puis après, on a fait une promenade dans la forêt.

YASMINA: Tu as vu des animaux?

MARIAMA: Oui, beaucoup d'oiseaux, quelques lapins et un écureuil.

MALIK: Tu es allé à la pêche?

NICOLAS: Oui, il y a une rivière près d'ici. J'y suis allé avec mon père.

MALIK: Vous avez pris des poissons?

NICOLAS: Non, on n'a rien pris . . . Et, en plus, mon père est tombé dans l'eau. Il était furieux!

LEÇON 5 Le français pratique: Les activités du week-end

PE AUDIO
Aperçu culturel: Le week-end, p. 100

CD 2, Track 1

Le week-end

Les jeunes Français profitent du week-end pour sortir. Ils sortent souvent avec leurs copains. L'après-midi, ils vont dans les magasins ou au café. Le soir, ils vont au cinéma ou au concert. Parfois, ils vont à la campagne avec leurs parents. Pour beaucoup de Français, le week-end est aussi l'occasion de rendre visite aux autres membres de la famille.

Samedi

1. Le samedi, Mathilde suit des cours de théâtre à la Maison des Jeunes de la ville où elle habite. Les MJC (Maisons des Jeunes et de la Culture) offrent un grand choix d'activités artistiques et culturelles: ciné-club, photo, poterie, batik, etc. On peut aussi suivre des cours de danse, de gymnastique et de judo.
2. Le samedi après-midi, Karine et Sophie adorent «faire les magasins». Cela ne signifie pas nécessairement qu'elles achètent quelque chose. Elles regardent simplement . . .
3. Quand Julien et ses copains n'ont rien de spécial à faire, ils vont au café. Là, ils discutent, ou bien ils regardent les gens qui passent dans la rue.
4. Le samedi soir, les jeunes Français aiment sortir. Ce soir Sabine va au ciné avec sa bande de copains.

Dimanche

5. Le dimanche, Sophie va souvent dîner chez ses grands-parents qui ont une maison à la campagne.
6. Le dimanche après-midi, Michel fait une promenade à la campagne avec sa famille.
7. Le dimanche soir, Claire est à la maison. Elle finit ses devoirs pour les cours du lundi.

CD 2, Track 2

A. Vocabulaire: Un week-end en ville, p. 102

Écoutez le dialogue.

   A: Qu'est-ce que tu vas faire ce week-end?
   B: Je vais sortir avec des copains. Et toi?
   A: Moi, je vais travailler.

Écoutez et répétez.

On va en ville pour aller dans les magasins. #
   . . . pour faire des achats. #
   . . . pour chercher un nouveau CD
On va au ciné pour voir un film. #
On va au café pour rencontrer des copains. #
   . . . pour retrouver des amis. #
On va au stade pour assister à un match de foot. #
   . . . pour assister à un concert de rock. #
On va à la piscine pour nager. #
On va à la plage pour prendre un bain de soleil. #
On reste à la maison pour aider ses parents. #
   . . . pour laver la voiture. #
   . . . pour ranger sa chambre. #
   . . . pour ranger ses affaires. #

Unité 2
Leçon 5
Audioscripts

Discovering
FRENCH
Nouveau!
BLANC

CD 2, Track 3

B. Vocabulaire: Un week-end à Paris, p. 104

Écoutez les dialogues.

Premier dialogue

> A: Qu'est-ce que tu vas faire samedi après-midi?
> B: Je vais voir un film au Quartier Latin.
> A: Comment vas-tu aller là-bas?
> B: Je vais aller à pied.

Deuxième dialogue

> C: Qu'est-ce que tu vas faire samedi soir?
> D: Je vais assister à un concert à la Villette.
> C: Comment vas-tu aller là-bas?
> D: Je vais prendre le métro.

Vocabulaire: Dans le métro

Écoutez et répétez.

Je vais acheter un billet de métro. #

Je vais acheter un ticket de métro. #

Je vais prendre la direction Balard. #

Je vais monter à Opéra. #

Je vais descendre à Concorde. #

CD 2, Track 4

C. Vocabulaire: Un week-end à la campagne, p. 106

Écoutez le dialogue.

> A: Où allez-vous passer le week-end?
> B: Nous allons passer le week-end à la campagne.
> A: Quand est-ce que vous allez partir?
> B: Nous allons partir samedi matin.
> A: Et quand est-ce que vous allez rentrer?
> B: Nous allons rentrer dimanche soir.

À la campagne

Écoutez et répétez.

Quand on est à la campagne, on peut faire un pique-nique. #

> . . . faire une promenade à cheval #

> . . . faire un tour à vélo #

> . . . faire une randonnée à pied #

> . . . aller à la pêche #

Vocabulaire: Quelques endroits et quelques animaux

Écoutez et répétez.

une forêt # un arbre # une feuille # un écureuil # un oiseau #

une rivière # un lac # un poisson #

une ferme # une prairie # un champ

une plante # une fleur

une vache # un cochon # un canard # un lapin

une poule # un cheval

WORKBOOK AUDIO

Section 1. Culture

CD 7, Track 1

Activité A. Aperçu culturel:
Le week-end, p. 100

Open your student text to page 100 and listen as the text is read. At the end, you will hear a group of statements about the text. Listen to each one and indicate whether it is true (**vrai**) or false (**faux**). You will hear each statement twice.

Allez à la page 100 de votre texte. Écoutez le texte. À la fin vous allez entendre des phrases concernant ce texte. Écoutez chaque phrase et indiquez si elle est vraie ou fausse. Chaque phrase sera répétée.

Le week-end

Les jeunes Français profitent du week-end pour sortir. Ils sortent souvent avec leurs copains. L'après-midi, ils vont dans les magasins ou au café. Le soir, ils vont au cinéma ou au concert. Parfois, ils vont à la campagne avec leurs parents. Pour beaucoup de Français, le week-end est aussi l'occasion de rendre visite aux autres membres de la famille.

Samedi

1. Le samedi, Mathilde suit des cours de théâtre à la Maison des Jeunes de la ville où elle habite. Les MJC (Maisons des Jeunes et de la Culture) offrent un grand choix d'activités artistiques et culturelles: ciné-club, photo, poterie, batik, etc. On peut aussi suivre des cours de danse, de gymnastique et de judo.

2. Le samedi après-midi, Karine et Sophie adorent «faire les magasins». Cela ne signifie pas nécessairement qu'elles achètent quelque chose. Elles regardent simplement …

3. Quand Julien et ses copains n'ont rien de spécial à faire, ils vont au café. Là, ils discutent, ou bien ils regardent les gens qui passent dans la rue.

4. Le samedi soir, les jeunes Français aiment sortir. Ce soir Sabine va au ciné avec sa bande de copains.

Dimanche

5. Le dimanche, Sophie va souvent dîner chez ses grands-parents qui ont une maison à la campagne.

6. Le dimanche après-midi, Michel fait une promenade à la campagne avec sa famille.

7. Le dimanche soir, Claire est à la maison. Elle finit ses devoirs pour les cours de lundi.

Maintenant, écoutez les phrases. Est-ce que c'est vrai ou faux?

1. Le week-end, les jeunes Français aiment sortir avec leurs copains. #

2. Dans les Maisons des Jeunes et de la Culture, il y a beaucoup d'activités pour les jeunes. #

3. Mathilde va à la Maison des Jeunes pour jouer au ping-pong. #

4. Karine et Sophie vont dans les magasins pour regarder les CD. #

5. Le samedi soir, les jeunes Français restent à la maison. #

6. Généralement, les jeunes Français n'aiment pas passer le week-end avec leur famille. #

Maintenant, vérifiez vos réponses.

1. Le week-end, les jeunes Français aiment sortir avec leurs copains. Vrai.

2. Dans les Maisons des Jeunes et de la Culture, il y a beaucoup d'activités pour les jeunes. Vrai.

3. Mathilde va à la Maison des Jeunes pour jouer au ping-pong. Faux. Elle va là-bas pour faire du théâtre.

4. Karine et Sophie vont dans les magasins pour regarder les CD. Vrai.

5. Le samedi soir, les jeunes Français restent à la maison. Faux. Ils sortent au ciné.

6. Généralement, les jeunes Français n'aiment pas passer le week-end avec leur famille. Faux. Le dimanche, ils font beaucoup de choses en famille.

CD 7, Track 2

Section 2 Vocabulaire et Communication

Activité B. La réponse logique

You will hear a series of questions. Listen carefully to each question and select the most logical answer from among the choices in your workbook. Circle the corresponding letter: a, b, or c. You will hear each question twice.

Modèle: Qu'est-ce que tu vas faire à la piscine? The answer is **Je vais nager.** You should have circled the letter C.

Before starting, let's listen to the instructions again, this time in French.

Vous allez entendre une série de questions. Écoutez bien chaque question et choisissez la réponse logique à cette question. Marquez la lettre correspondante, a, b ou c, avec un cercle. Chaque question sera répétée.

Modèle: Qu'est-ce que tu vas faire à la piscine? La réponse logique est C: **Je vais nager.**

1. Où est-ce que tu fais tes achats? #

2. Tu vas rester chez toi samedi? #

3. Qu'est-ce que vous allez voir au ciné? #

4. Tu vas souvent à la plage? #

5. Pourquoi est-ce que tu vas dans ta chambre? #

6. Tu vas aux Champs-Élysées à pied? #

7. Pourquoi est-ce que tu ne prends pas le métro? #

8. Qu'est-ce que tu fais quand tu es à la campagne? #

9. Qu'est-ce que c'est que cette fleur? #

10. Regarde cet animal sur le lac. Qu'est-ce que c'est? #

Maintenant vérifiez vos réponses. You should have circled: 1–A, 2–C, 3–A, 4–C, 5–B, 6–B, 7–C, 8–C, 9–B, and 10–A

CD 7, Track 3

Activité C. Le bon choix

Answer the following questions according to the illustrations.

Répondez aux questions d'après les illustrations.

Modèle: Est-ce que Jean-Paul est au ciné ou au café?
Il est au café.

1. Est-ce que Catherine va au stade ou à la piscine? #
Elle va à la piscine.

2. Est-ce que François va sortir ou rester à la maison? #
Il va rester à la maison.

3. Est-ce que Sophie va assister à un match ou à un concert? #
Elle va assister à un concert.

4. Est-ce que Nicolas va voir un film ou est-ce qu'il va faire des achats? #
Il va voir un film.

5. Est-ce que Thomas va laver la voiture ou ranger sa chambre? #
Il va laver la voiture.

6. Est-ce que Julie va aller à pied ou est-ce elle va prendre le bus? #
Elle va aller à pied.

7. Est-ce que Monsieur Durand monte dans le métro ou est-ce qu'il descend? #
Il descend.

8. Est-ce qu'Olivier va passer le week-end en ville ou à la campagne? #
Il va passer le week-end à la campagne.

9. Est-ce que Michèle fait une promenade à vélo ou à pied? #
Elle fait une promenade à vélo.

10. Est-ce que Philippe va faire une promenade en auto ou à cheval? #
Il va faire une promenade à cheval.

11. Est-ce que Valérie va nager dans le lac ou dans la rivière? #
Elle va nager dans la rivière.

12. Est-ce que c'est un cochon ou une vache? #
C'est une vache.

13. Est-ce que c'est une poule ou un lapin? #
C'est une poule.

14. Est-ce que c'est un canard ou un écureuil? #
C'est un canard.

15. Est-ce que c'est un poisson ou un oiseau? #
C'est un oiseau.

CD 7, Track 4

Activité D. Dialogues

You are going to hear two dialogues. Each dialogue will be repeated. The first time you hear the dialogue, just listen. Then, as you hear it a second time, fill in the missing words in your workbook. Now listen to the instructions in French.

Vous allez entendre deux dialogues. La première fois, écoutez attentivement le dialogue. La deuxième fois, écrivez les mots qui manquent dans votre cahier d'activités.

Dialogue A

Nous sommes samedi après-midi. Philippe parle à sa soeur Véronique.

PHILIPPE: Tu vas <u>sortir</u> cet après-midi?
VÉRONIQUE: Oui, je vais aller <u>en ville</u>.
PHILIPPE: Tu vas faire <u>des achats</u>?
VÉRONIQUE: Non, je vais <u>voir</u> un film.
PHILIPPE: Je peux venir avec toi?
VÉRONIQUE Oui, si tu aimes <u>marcher</u>.
PHILIPPE: Comment, tu ne vas pas <u>prendre</u> le bus?

VÉRONIQUE: Mais non, j'ai besoin d'exercice … Et toi aussi!
PHILIPPE: Bon, alors dans ce cas, je vais <u>rester</u> à la maison.

Maintenant écoutez et écrivez.

Dialogue B

Nous sommes vendredi. Jérôme parle à Isabelle.

JÉRÔME: Tu vas rester chez toi demain?
ISABELLE: Non, je vais faire une <u>promenade à vélo</u> avec un copain.
JÉRÔME: Où allez-vous aller?
ISABELLE: À la <u>campagne</u>.
JÉRÔME: Est-ce que tu vas prendre ton appareil-photo?
ISABELLE: Bien sûr! Il y a beaucoup d'<u>animaux</u> intéressants là où nous allons.
JÉRÔME: Ah bon? Quoi?
ISABELLE: Des <u>lapins</u>, des écureuils et des <u>oiseaux</u> de toutes sortes.

Maintenant écoutez et écrivez.

CD 7, Track 5

Activité E. Répondez, s'il vous plaît!

You will hear a series of questions. Listen carefully and then answer according to the corresponding illustration in your workbook.

Modèle: Que fait Christine?
Elle fait des achats.

Now listen to the instructions in French.

Vous allez entendre une série de questions. Écoutez attentivement chaque question. Répondez sur la base de l'illustration correspondante.

1. Que fait Jean-Pierre? #
   Il lave sa voiture.

2. Que fait Monsieur Dulac? #
   Il nettoie le garage.

3. Comment Jérôme va-t-il à l'école? #
   Il va à pied.

4. Comment Catherine va-t-elle aller en ville? #
   Elle va prendre le bus.

5. Que font Thomas et Cécile?
   Ils font un pique-nique.

6. Que fait Marc? #
   Il fait une promenade à vélo.

7. Que fait Christine? #
   Elle fait une promenade à cheval.

8. Qu'est-ce que Pierre va faire ce week-end?
   Il va aller à la pêche.

Questions personnelles

Now you will hear some personal questions. Answer them using vocabulary that you know.

Maintenant répondez aux questions suivantes. Utilisez seulement le vocabulaire que vous connaissez.

9. Comment vas-tu à l'école? #

10. Comment vas-tu en ville? #

11. Qu'est-ce que tu aimes faire le week-end? #

12. Qu'est-ce que tu vas faire ce week-end? #

13. Qu'est-ce que tu fais quand tu es à la campagne? #

CD 7, Track 6

Activité F. Situation: Le calendrier de Mélanie

Patrick and his cousin Mélanie are discussing their weekend plans. Listen carefully to their conversation. Although you may not understand every word, you should be able to understand most of what they are saying.

MÉLANIE: Qu'est-ce que tu fais samedi après-midi, Patrick?

PATRICK: Je vais en ville. Je dois faire des achats. Tu veux venir avec moi?

MÉLANIE: Je voudrais bien, mais je dois rester à la maison pour ranger mes affaires. (#)

PATRICK: Dommage! Dis, samedi soir il y a un bon concert. Est-ce que tu veux y aller?

MÉLANIE: Tu sais, je n'ai pas beaucoup d'argent.

PATRICK: Eh bien, on peut aller voir un film!

MÉLANIE: D'accord! Allons au cinéma! (#)

PATRICK: Dis, est-ce que tu veux aller voir le match Paris-Toulon dimanche après-midi?

MÉLANIE: Tu sais, Patrick, je n'aime pas beaucoup le foot.

PATRICK: Alors, on peut faire une promenade à vélo.

MÉLANIE: Ça, c'est une bonne idée! J'adore aller à la campagne! (#)

PATRICK: Et dimanche soir, qu'est-ce que tu fais?

MÉLANIE: Je dois étudier. J'ai un examen de maths lundi matin.

PATRICK: C'est vrai! Moi aussi! (#)

Now, as you listen to the conversation a second time, write down Mélanie's activities on the calendar page in your workbook.

Now check what you have written by listening to the dialogue one last time.

LESSON 5 QUIZ

Part 1: Listening

CD 16, Track 1

A. Conversations

You will hear a series of short conversations. These conversations are incomplete. Select the most logical continuation of each conversation and circle the corresponding letter: a, b, or c. You will hear each conversation twice.

Écoutez.

Conversation 1. Marc parle à Sophie.

MARC: Où vas-tu?
SOPHIE: Je vais en ville.
MARC: Tu vas faire des achats?

Conversation 2. Catherine téléphone à Christophe.

CATHERINE: Qu'est-ce que tu fais samedi soir?
CHRISTOPHE: Je vais sortir.
CATHERINE: Ah bon? Qu'est-ce que tu vas faire?

Conversation 3. Éric parle à Stéphanie.

ÉRIC: Où est ta soeur?
STEPHANIE: Elle est à la plage.
ÉRIC: Elle va souvent là-bas!

Conversation 4. Isabelle parle à Jean-Paul.

ISABELLE: Où vas-tu cet après-midi?
JEAN-PAUL: Je vais aller à la piscine.
ISABELLE: Tu vas prendre ton vélo?

Conversation 5. Olivier téléphone à Valérie.

OLIVIER: Qu'est-ce que tu vas faire dimanche?
VALÉRIE: Je vais faire une promenade à vélo avec un copain.
OLIVIER: Ah bon? Où?

Conversation 6. Véronique est dans le métro. Elle parle à un employé.

VÉRONIQUE: Pardon, monsieur. C'est quelle direction pour aller au Louvre?
L'EMPLOYÉ: Direction Nation.
VÉRONIQUE: Et où est-ce que je dois descendre?

Nom _____

Classe _____ Date _____

Discovering FRENCH *Nouveau!*

B L A N C

Unité 2
Leçon 5

Lesson Quiz

QUIZ 5

Part I: Listening

A. Conversations (30 points: 5 points each)

You will hear a series of short conversations. These conversations are incomplete. Select the most logical CONTINUATION of each conversation and circle the corresponding letter: a, b, or c.

Conversation 1. Marc parle a Sophie.
    a. Oui, je vais prendre le bus.
    b. Oui, je vais ranger ma chambre.
    c. Oui, j'ai besoin d'une nouvelle robe.

Conversation 2. Catherine téléphone à Christophe.
    a. Je vais rester chez moi.
    b. Je vais regarder la télé.
    c. Je vais aller voir un film avec des copains.

Conversation 3. Eric parle à Stéphanie.
    a. Oui! Elle adore prendre des bains de soleil.
    b. Oui, elle aime faire des achats.
    c. Non, elle va laver sa voiture.

Conversation 4. Isabelle parle à Jean-Paul.
    a. Oui, j'aime marcher.
    b. Non, je vais aller à pied.
    c. Oui, je vais prendre le métro.

Conversation 5. Olivier téléphone à Valérie.
    a. On va faire un tour à la campagne.
    b. Nous allons rester ici.
    c. On va partir à deux heures.

Conversation 6. Véronique est dans le métro. Elle parle à un employé.
    a. Eh bien, à la station Louvre.
    b. Vous allez monter à Opéra.
    c. Moi, je préfère prendre le bus.

Part II: Writing

B. Qu'est-ce qu'ils vont faire? (30 points: 3 points each)

Complete the following sentences with the INFINITIVE of the appropriate verbs. Be logical!

1. Léa et Pauline vont _____ des achats aux Galeries Lafayette.

2. Vous allez au ciné. Vous allez _____ un film d'action.

3. Samedi je ne vais pas rester chez moi. Je vais _____ avec mon copain.

4. Elodie va au stade. Elle va _____ à un match de foot.

5. Tu vas _____ tes vêtements dans le placarol (closet).

6. M. Moreau a besoin du jet d'eau (water hose). Il va _____ sa voiture.

7. Mon oncle a une ferme à la campagne. Je vais _____ le week-end chez lui.

8. Cet après-midi, Stéphanie et Olivier vont faire une promenade à vélo. Ils vont _____ à deux heures et rentrer à cinq heures et demie.

9. Nous allons _____ le métro pour aller aux Champs-Élysées.

10. Nous allons _____ à la station Concorde et descendre à la station Étoile.

Nom _____

Classe _____ Date _____

C. À la campagne (20 points: 4 points each)

You are going to visit a friend who lives in the country. Name five (5) different animals that you may see. (Be sure to give the appropriate article.)

- _____   • _____
- _____   • _____
- _____

D. Expression personnelle (20 points: 5 points each)

You have decided to go downtown on Saturday. Describe your plans in complete sentences.

Mention . . .

- at what time you are going to leave

- how you are going to go downtown

- what you are going to do

- at what time you are going to come back

SAMEDI PROCHAIN

- _____
  _____
- _____
  _____
- _____
  _____
- _____
  _____

Nom _____

Classe _____ Date _____

LEÇON 6 Pierre a un rendez-vous

LISTENING/SPEAKING ACTIVITIES

Section 1. Vidéo-scène

A. Compréhension générale

 Allez a la page 108 de votre texte. Écoutez.

B. Avez-vous compris?

	vrai	faux		vrai	faux
1.	☑	☐	4.	☐	☑
2.	☐	☑	5.	☐	☑
3.	☑	☐	6.	☑	☐

Section 2. Langue et communication

C. Samedi dernier

	▶	1	2	3	4	5	6	7	8
A					✓	✓			
B	✓			✓				✓	
C			✓						✓
D		✓					✓		

D. À la maison

▶ —Avez-vous aidé vos parents?
—Oui, nous avons aidé nos parents.

1. Oui, nous avons rangé le salon.
2. . . . rangé nos affaires.
3. . . . nettoyé le garage.
4. . . . lavé la voiture.

E. Pas de chance

▶ CAROLINE: Tu as joué au volley?
VOUS: **Non, je n'ai pas joué au volley.**

1. Non, je n'ai pas joué au foot.
2. Non, je n'ai pas nagé.
3. Non, je n'ai pas assisté à un concert de rock.
4. Non, je n'ai pas rendu visite à ma tante.
5. Non, je n'ai pas rencontré mes copains au café.
6. Non, je n'ai pas assisté à un match de foot.

Nom _____

Classe _____ Date _____

Discovering FRENCH *Nouveau!*

B L A N C

F. Oui ou non?

▶ A. —Este-ce que Robert a perdu son argent?
—**Oui, il a perdu son argent.**

▶ B. —Est-ce que Juliette a grossi?
—**Non, elle n'a pas grossi.**

A. Robert

B. Juliette

1. Paul

2. Sophie

3. M. Dupois

4. Béatrice

5. Jean-Paul

6. Stéphanie

1. Non, il n'a pas fini ses devoirs.
2. Oui, elle a répondu au téléphone.
3. Non, il n'a pas maigri.
4. Oui, elle a vendu son vélo.
5. Oui, il a rendu visite à ses grands-parents.
6. Non, elle n'a pas choisi la pizza.

Nom _____

Classe _____ Date _____

G. Une visite au Musée du Louvre

▶ Pierre prend [le métro / le bus].

1. Vous prenez [un taxi / la voiture].

2. Nous prenons [le métro / le bus].

3. Je prends [ma moto / ma voiture].

4. Tu prends [ton vélo / ton scooter].

5. Anne prend [sa voiture / son scooter].

6. Marc et Paul prennent [le métro / un taxi].

▶ —Pierre prend le bus.
   —**Non, Pierre prend le métro.**

1. Non, vous prenez un taxi.
2. Non, nous prenons le bus.
3. Non, je prends ma voiture.
4. Non, tu prends ton vélo.
5. Non, Anne prend son scooter.
6. Non, Marc et Paul prennent le métro.

Nom _____

Classe _____ Date _____

Discovering FRENCH *Nouveau!*

B L A N C

Unité 2
Leçon 6

Workbook TE

WRITING ACTIVITIES

A/B 1. La liste des choses à faire

Your mother made a list of things for you to do last weekend. Write which ones you did and which ones you did not do. Use the PASSÉ COMPOSÉ.

| ranger tes livres |
| ranger ta chambre |
| nettoyer le garage |
| finir tes devoirs |
| laver tes vêtements |
| téléphoner à ta grand-mère |
| rendre visite à tes cousins |

▶ J'ai rangé mes livres.
(Je n'ai pas rangé mes livres.)
- J'ai rangé ma chambre.
(Je n'ai pas rangé ma chambre.)
- J'ai nettoyé le garage.
(Je n'ai pas nettoyé le garage.)
- J'ai fini mes devoirs.
(Je n'ai pas fini mes devoirs.)
- Je n'ai pas lavé mes vêtements.
(J'ai lavé mes vêtements.)
- J'ai téléphoné à ma grand-mère.
(Je n'ai pas téléphoné à ma grand-mère.)
- J'ai rendu visite à mes cousins.
(Je n'ai pas rendu visite à mes cousins.)

A/B 2. Oui ou non?

Read about the following people. Then say whether or not they did the things in parentheses.

▶ François est malade. (jouer au foot? regarder la télé?)
Il n'a pas joué au foot. Il a regardé la télé.

1. Hélène joue mal. (gagner le match? perdre?)
Elle n'a pas gagné le match. Elle a perdu.

2. Nous sommes consciencieux. (étudier? finir les devoirs?)
Nous avons étudié. Nous avons fini nos devoirs.

3. Les élèves sont paresseux. (préparer l'examen? réussir?)
Ils n'ont pas préparé l'examen. Ils n'ont pas réussi.

4. Je suis fauché *(broke)*. (acheter des CD? dîner à la maison?)
Je n'ai pas acheté des CD. J'ai dîné à la maison.

5. Vous êtes au régime *(on a diet)*. (maigrir? grossir?)
J'ai maigri. Je n'ai pas grossi.

6. Tu passes l'après-midi au café. (rencontrer des copains? jouer au foot?)
J'ai rencontré des copains. Je n'ai pas joué au foot.

Nom _____

Classe _____ Date _____

C 3. Dialogues

Complete the following dialogues by writing out the question that was asked.

▶ (avec qui / tu) — Avec qui est-ce que tu as joué _____ au tennis?

—J'ai joué avec Catherine.

1. (quel programme / vous) —Quel programme est-ce que vous avez regardé ____ ?

—Nous avons regardé «la Roue de la Fortune».

2. (où / Pauline) —Où est-ce que Pauline a dîné _____ hier soir?

—Elle a dîné dans un restaurant chinois.

3. (quand / tes cousins) —Quand est-ce que tes cousins ont téléphoné ____ ?

—Ils ont téléphoné hier soir.

4. (quel CD / tu) —Quel CD est-ce que tu as acheté ____ ?

—J'ai acheté le dernier CD de Pascal Obispo.

5. (qui / vous) —Qui est-ce que vous avez invité ____ ?

—Nous avons invité nos amis canadiens.

D 4. Tu as fait ça?

Your French friend Charlotte wants to know if you have ever done the following things. Answer her affirmatively or negatively, as in the model.

▶ visiter Montréal?
Oui, j'ai déjà visité Montréal. (Non, je n'ai jamais visité Montréal.)

1. visiter San Francisco?

Oui, J'ai déjà visité San Francisco. (Non, je n'al jamais visité San Francisco.)

2. dîner dans un restaurant français?

Non, je n'al jamais dîné dans un restaurant français. (Oui, j'ai déjà dîné dans

un restaurant français.)

3. assister à un concert de jazz?

Non, je n'ai jamais assisté à un concert de jazz. (Oui, j'ai déjà assisté à un concert de jazz.)

4. jouer dans une pièce (play)?

Oui, j'ai déjà joué dans une pièce. (Non, je n'ai jamais joué dans une pièce.)

5. parler en public?

Non, je n'ai jamais parlé en public. (Oui, j'ai déjà parlé en public.)

Copyright © by McDougal Littell, a division of Houghton Mifflin Company.

Nom _____

Classe _____ Date _____

Discovering FRENCH
Nouveau!
B L A N C

Unité 2
Leçon 6
Workbook TE

D 5. Qu'est-ce qu'ils font?

Complete the following sentences with a verb from the box. Be logical!

apprendre	comprendre	prendre	mettre

1. Pour aller à l'école, nous *prenons* _____ le bus.
2. Je ne *comprends* _____ pas. Parle plus fort *(louder)*!
3. Florence *met* _____ un CD de jazz.
4. Mon petit frère *apprend* _____ à nager.
5. Les touristes *prennent* _____ des photos.
6. Quand je vais à la campagne, je *mets* _____ des bottes *(boots)*.

 6. Communication (sample answers)

A. Activités récentes Make a list of three things you did recently that you enjoyed and two things that were not so enjoyable.

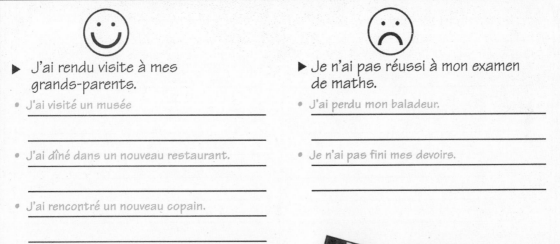

> J'ai rendu visite à mes grands-parents.
- *J'ai visité un musée* _____

    _____
- *J'ai dîné dans un nouveau restaurant.* _____

    _____
- *J'ai rencontré un nouveau copain.* _____

> Je n'ai pas réussi à mon examen de maths.
- *J'ai perdu mon baladeur.* _____

    _____
- *Je n'ai pas fini mes devoirs.* _____

    _____

Nom _____

Classe _____ Date _____

B. Le journal de Caroline Caroline keeps a daily diary. Read what she
did last night. Then write a short paragraph describing what you did or
did not do last night. If necessary, use a separate sheet of paper.

Nous avons dîné à sept heures. Après le dîner,
j'ai aidé ma mère (j'ai lavé la vaisselle et
j'ai rangé la cuisine). Ensuite, j'ai étudié
un peu, mais je n'ai pas fini mes devoirs.
Après, j'ai regardé une comédie à la télé.
Après le film, j'ai téléphoné à ma copine Alice.
Nous avons parlé pendant dix minutes.
Après, j'ai fini mes devoirs.

Hier soir j'air preparé le dîner avec mon père
et mon frère. Après le dîner, nous avons fait
la vaisselle ensemble. Ensuite j'ai aidé mon
petit frère avec ses devoirs et j'ai fait mes
devoirs aussi. Après, nous avons regardé la
télé.

Discovering French, Nouveau! Blanc

LEÇON 6   Pierre a un rendez-vous

A

Activité 1   Hier aussi

Complétez les phrases au passé composé.

D'habitude . . .

1. je finis mes devoirs avant le dîner.

2. nous dînons à 20h.

3. mes parents prennent le café dans le jardin.

4. je lis après le dîner.

Hier aussi, . . .

j'ai _fini_ _____ mes devoirs avant le dîner.

nous avons _dîné_ _____ à 20h.

mes parents ont _pris_ _____ le café dans le jardin.

j'ai _lu_ _____ après le dîner.

Activité 2   Dialogues

Faites correspondre les questions et les réponses.

_c_ 1. — Est-ce que Mireille a aidé ses parents?

_a_ 2. — Est-ce que vous avez réussi à l'examen?

_b_ 3. — Est-ce que tu es déjà allé là?

_e_ 4. — Est-ce que vous avez joué au volley hier?

_d_ 5. — Est-ce que tu as acheté un nouveau pull?

a. — Non, parce que nous n'avons pas étudié.

b. — Non, je ne suis jamais allé là.

c. — Non, elle n'a pas rangé le salon.

d. — Non, je n'ai pas été au centre commercial.

e. — Oui, mais nous n'avons pas gagné le match.

Activité 3   À la maison et à l'école

Mettez un cercle autour du verbe qui correspond à la phrase.

1. Nous _apprenons_ / comprenons à parler français.

2. Je n'ai pas pris / _compris_ la question.

3. Est-ce que vous _prenez_ / apprenez du thé ou du café?

4. Pourquoi est-ce que tu _mets_ / permets la radio si fort? J'étudie!

5. Elle ne _permet_ / promet pas à sa petite soeur d'entrer dans sa chambre.

Nom _____

Classe _____ Date _____ _____

Discovering
FRENCH
Nouveau!

B L A N C

B

Activité 1 Hier, aujourd'hui ou demain?

Décidez si les phrases suivantes parlent d'hier, d'aujourd'hui ou de demain.

	Hier	Aujourd'hui	Demain
1. J'attends mon copain depuis quinze minutes.		✔	
2. Ils ont suivi le match à la radio.	✔		
3. Est-ce que tu vas travailler samedi soir?			✔
4. Elle a déjà fait ses devoirs.	✔		
5. Nous allons partir en vacances.			✔

Activité 2 Équivalences

En réponse aux phrases suivantes, décidez s'il faut mettre la négation ou pas.

1. — Éric a mangé beaucoup de gâteaux.

   — Il n' _____ a sûrement pas _____ maigri.

2. — Les élèves n'ont pas étudié.

   — Ils n' _____ ont sûrement pas _____ réussi à l'examen.

3. — Nous avons très mal joué au tennis.

   — Nous _____ allons sûrement _____ perdre le match.

4. — Mme Delorme a passé l'après-midi dans le jardin.

   – Elle n' _____ a sûrement pas _____ entendu le téléphone.

Activité 3 Dialogue

Complétez les phrases en choisissant et en conjugant les verbes.

prendre	apprendre	comprendre	mettre	promettre

1. Je mets _____ souvent ce quand il fait très froid.

2. Paul ne comprend _____ pas le français.

3. Sylvie promet _____ d'être à l'heure à son rendez-vous.

4. Elle doit apprendre _____ à si elle veut venir à la montagne avec nous.

5. Nous prenons _____ toujours des photos pendant les vacances.

Nom _____

Classe _____ Date _____ _____

Discovering FRENCH *Nouveau!*

B L A N C

Unité 2
Leçon 6

Activités pour tous TE

C

Activité 1 Déjà

Répondez aux questions suivantes en utilisant **déjà** et le passé composé.

1. — Est-ce que vous allez jouer au tennis?

   — Non, nous *avons déjà joué au tennis* .

2. — Est-ce que tu vas prendre du thé?

   — Non, j'*ai déjà pris du thé* .

3. — Est-ce que tes amis vont voir un film?

   — Non, ils *ont déjà vu un film* .

4. — Est-ce que tu vas lire ce livre?

   — Non, j'*ai déjà lu ce livre* .

Activité 2 Ce n'est pas vrai!

Répondez de manière négative, en utilisant **ne . . . pas** ou **ne . . . jamais.** *Answers may vary.*
Sample answers:

1. — Est-ce que tu as mangé tout le gâteau?

   — Ah non, *je n'ai pas mangé tout le gâteau* .

2. — Est-ce que vous dînez à 21h30 ce soir?

   — Non, *nous ne dînons jamais à 21h30* .

3. — Est-ce que Nicole va être patiente?

   — Non, *elle n'est jamais patiente* .

4. — Est-ce que tes amis ont perdu le match?

   — Non, *ils n'ont pas perdu le match* .

Activité 3 À vous la parole!

Regardez les illustrations et écrivez des phrases complètes. *Answers will vary. Sample answers:*

1. *Attendons le bus!*

2. *Je mets mes lunettes de soleil quand il fait beau.*

3. *Est-ce que tu as mis la table?*

4. *Nous apprenons le français à l'école.*

URB
p. 51

LEÇON 6   Pierre a un rendez-vous, page 108

Objectives

Communicative Functions and Topics	To talk about what happened and did not happen in the past
	To ask questions about the past
	To describe actions and times of actions
	To read for pleasure and develop logical thinking
Linguistic Goals	To use the *passé composé* with *avoir* and regular -*er*, -*ir*, and -*re* verbs
	To use time expressions
	To use intonation, *est-ce que*, and inversion to ask questions in the past
	To use *déjà* and *jamais* in questions
	To use the irregular verbs *prendre*, *mettre*, *permettre*, and *promettre*
Cultural Goals	To learn about daily activities of French young people

Motivation and Focus

❏ Have students look at the photos on pages 108–109. Have students identify Pierre and where he is. Students can suggest who is he talking to and what they are talking about. Discuss where students like to go during their free time, what they do there, and what they have to do at home before they can go out.

Presentation and Explanation

❏ *Vidéo-scène:* Play **Video** 1 or **DVD** 1, Counter 24:22–25:42 or **Audio** CD 2, Track 5, or read the *Vidéo-scène*, pages 108–109. Have students read the conversation and list the things Pierre says he has done. Check understanding with the *Compréhension* activity on page 109. Do the CROSS-CULTURAL UNDERSTANDING activity on page 108 in the TE.

❏ *Grammar A:* Use **Overhead Transparency** 7 with the WARM-UP activity on page 110 of the TE to introduce the *passé composé* with *avoir*. Present and explain how to form the tense and the endings for -*er*, -*ir*, and -*re* verbs, pages 110–111. Model the examples and have students repeat. Introduce the time expressions in the *Vocabulaire* box on page 112. Ask students about things they did yesterday.

❏ *Grammar B* and *C:* Present negative and question forms with the *passé composé*, pages 112–114. Discuss the grammar boxes, guiding students to notice placement of *ne* and *pas* in negative statements, and intonation and *est-ce que* question formation, using suggestions in the margins on pages 113 and 114 in the TE.

❏ *Grammar D:* Present the irregular verbs *prendre* and *mettre*, page 116. Use PRONUNCIATION material on page 116 in the TE.

Guided Practice and Checking Understanding

❏ Practice talking about past events with **Overhead Transparency** 24 and the activity at the top of page A87. Use **Overhead Transparency** 20 to have students form negative statements and questions in the past tense. Practice *apprendre* with **Overhead Transparency** 6.

❏ Play **Audio** CD 7, Tracks 7–13 or read the **Audioscript** and have students do **Workbook** Listening/Speaking Activities A–G, pages 53–56.

❏ Play the **Video** or read from the **Videoscript** and have students do **Video Activities** 2–6, pages 64–66.

Independent Practice

❑ Model Activities 1–13, pages 111–117. Do 1–3 and 5–12 in pairs as PAIR PRACTICE. Students can do 4 and 13 for homework.
❑ Use **Communipak** *Échange* 3 (page 163) or **Video Activities** Activity 7 (page 67) for oral pair practice.
❑ Have students do any appropriate activities in **Activités pour tous**, pages 45–47.

Monitoring and Adjusting

❑ Monitor students as they do **Workbook** Writing Activities 1–6 on pages 57–60.
❑ Monitor use of the *passé composé* and the verbs *prendre* and *mettre* as students work on practice activities. Discuss the grammar explanations on pages 110–116 as necessary. Do the VARIATIONS, PERSONALIZATION, LANGUAGE NOTES, and TEACHING NOTE on pages 111–115 in the TE to reinforce past tense and irregular verb forms.

Assessment

❑ After students have completed the lesson's activities, administer Quiz 6 on pages 74–75. Use the **Test Generator** to adapt questions to your class's needs.

Reteaching

❑ If students had difficulty with any activity in the **Workbook**, reteach the content and have them redo the activity.
❑ Individual students can use the **Video** to review portions of the lesson.
❑ Use **Teacher to Teacher** pages 18 and 19 to reteach questions and irregular verbs.

Extension and Enrichment

❑ Play UN JEU: SAMEDI DERNIER on page 112 in the TE to practice talking about past activities.

Summary and Closure

❑ Use **Overhead Transparency** 11b; have students pretend they are one of the people in the pictures and narrate in sequence what they did yesterday, using the pictures as cues. After the presentations, ask other students to summarize linguistic and communicative goals demonstrated in the exchanges.
❑ Do PORTFOLIO ASSESSMENT as suggested on page 117 in the TE.

End-of-Lesson Activities

❑ *A votre tour!:* Do the activities on page 117, with students working in pairs on 1. Students can check their work on Activity 1 with **Audio** CD 1, Track 6. Students can work in small groups on 2 and 3.
❑ *Lecture:* Use the PRE-READING QUESTION, page 118 in the TE, to introduce the reading activity on pages 118–119. Then arrange students in pairs to complete the activity following the PAIR/GROUP READING PRACTICE suggestions at the bottom of page 119 in the TE. Guide students to note the use of the *passé composé* in the sentences. Students can check their answers on text page R12 in *Appendix B*. Do Reading and Culture Activities pages 74–75 in the **Workbook**.

LEÇON 6 Pierre a un rendez-vous, page 108

Block Scheduling (2 Days to Complete)

Objectives

Communicative Functions and Topics	To talk about what happened and did not happen in the past
	To ask questions about the past
	To describe actions and times of actions
	To read for pleasure and develop logical thinking
Linguistic Goals	To use the *passé composé* with *avoir* and regular -er, -ir, and -re verbs
	To use time expressions
	To use intonation, *est-ce que*, and inversion to ask questions in the past
	To use *déjà* and *jamais* in questions
	To use the irregular verbs *prendre*, *mettre*, *permettre*, and *promettre*
Cultural Goals	To learn about daily activities of French young people

Block Schedule

Retention Give students 10 different verb infinitives. Make sure you include -er, -ir, and -re verbs. Have students write a story using the *passé composé* of their verbs. When they are finished, have students peer-edit their work. You may then ask students to present their stories to the class. ∎

Day 1

Motivation and Focus

❏ Have students look at the photos on pages 108–109. Have students identify Pierre and where he is. Students can suggest who is he talking to and what they are talking about. Discuss where students like to go during their free time, what they do there, and what they have to do at home before they can go out.

Presentation and Explanation

❏ *Vidéo-scène:* Play **Video** 1 or **DVD** 1, Counter 24:22–25:42 or **Audio** CD 2, Track 5, or read the *Vidéo-scène*, pages 108–109. Have students read the conversation and list the things Pierre says he has done. Check understanding with the *Compréhension* activity on page 109. Do the CROSS-CULTURAL UNDERSTANDING activity on page 108 in the TE.

❏ *Grammar A:* Use **Overhead Transparency** 7 with the WARM-UP activity on page 110 of the TE to introduce the *passé composé* with *avoir*. Present and explain how to form the tense and the endings for -er, -ir, and -re verbs, pages 110–111. Model the examples and have students repeat. Introduce the time expressions in the *Vocabulaire* box on page 112. Ask students about things they did yesterday.

❏ *Grammar B and C:* Present negative and question forms with the *passé composé*, pages 112–114. Discuss the grammar boxes, guiding students to notice placement of *ne* and *pas* in negative statements, and intonation and *est-ce que* question formation, using suggestions in the margins on pages 113 and 114 in the TE.

❏ *Grammar D:* Present the irregular verbs *prendre* and *mettre*, page 116. Use PRONUNCIATION material on page 116 in the TE.

Discovering
FRENCH
Nouveau!

BLANC

Unité 2
Leçon 6

Block Scheduling
Lesson Plans

Guided Practice and Checking Understanding

❏ Practice talking about past events with **Overhead Transparency** 24 and the activity at the top of page A87. Use **Overhead Transparency** 20 to have students form negative statements and questions in the past tense. Practice *apprendre* with **Overhead Transparency** 6.

❏ Play **Audio** CD 7, Tracks 7–13 or read the **Audioscript** and have students do **Workbook** Listening/Speaking Activities A–G, pages 53–56.

Independent Practice

❏ Model Activities 1–13, pages 111–117. Do 2, 5, and 8–12 as PAIR PRACTICE. Assign 1, 3, 6, 7, and 13 to be written out in class or as homework.

❏ Use **Communipak** *Échange* 3 (page 163), and *Tu as la parole* 3 (page 156).

❏ Have students do any appropriate activities in **Activités pour tous**, pages 45–47.

❏ Have students do the **Block Schedule** activity at the top of page 54 of these lesson plans.

Day 2

Motivation and Focus

❏ Follow the PERSONALIZATION suggestion on page 111 in the TE.

Monitoring and Adjusting

❏ Monitor students as they do **Workbook** Writing Activities 1–6 on pages 57–60. Discuss the grammar explanations on pages 110–116 as necessary. Do the VARIATIONS, PERSONALIZATION, LANGUAGE NOTES, and TEACHING NOTE on pages 111–115 in the TE to reinforce past tense and irregular verb forms.

❏ Play UN JEU: SAMEDI DERNIER on page 112 in the TE to reinforce talking about past activities.

End-of-Lesson Activities

❏ *À votre tour!:* Do the activities on page 117. Use **Audio** CD 1, Track 6 with Activity 1.

❏ *Lecture:* Use the PRE-READING QUESTION, page 118 in the TE, to introduce the reading activity on pages 118–119. Then arrange students in pairs to complete the activity following the PAIR/GROUP READING PRACTICE suggestions at the bottom of page 119 in the TE. Guide students to note the use of the *passé composé* in the sentences.

Assessment

❏ Administer Quiz 6 on pages 74–75. Adjust lesson quizzes to the class's specific needs by using the **Test Generator**.

Reteaching (as needed)

❏ To reteach questions and irregular verbs, use **Teacher to Teacher** pages 18–19.

Extension and Enrichment (as desired)

❏ Have students do the Writing Activity on page 57 of the **Workbook**.

❏ Use **Block Scheduling Copymasters**, pages 49–56.

❏ Students may complete the *Aperçu culturel* on page 73 of the **Workbook** for cultural enrichment.

Summary and Closure

❏ Use **Overhead Transparency** 11b; have students pretend they are one of the people in the pictures and narrate in sequence what they did yesterday, using the pictures as cues. After the presentations, ask other students to summarize linguistic and communicative goals demonstrated in the exchanges.

❏ Do PORTFOLIO ASSESSMENT as suggested on page 117 in the TE.

Nom _____

Classe _____ Date _____

Discovering
FRENCH
Nouveau!

B L A N C

LEÇON 6 Vidéo-scène:
Pierre a un rendez-vous, pages 108–109

Materials Checklist

❏ **Student Text**
❏ **Audio** CD 2, Track 5; **Audio** CD 7, Tracks 7–8
❏ **Video** 1 or **DVD** 1, Counter 24:22–25:42
❏ **Workbook**

Steps to Follow

❏ Before you watch the **Video** or **DVD**, read the questions in *Compréhension* (p. 109). They will help you understand what you see and hear.
❏ Look at the photos on pages 108–109 while you read the text. Write down any unfamiliar words or expressions. Check meanings. Listen to **Audio** CD 2, Track 5.
❏ Watch **Video** 1 or **DVD** 1, Counter 24:22–25:42. Pause and replay if necessary.
❏ Do Listening/Speaking Activities Section 1, Activities A–B in the **Workbook** (p. 53). Use **Audio** CD 7, Tracks 7–8.
❏ Answer the questions in *Compréhension* in the text (p. 109).

If You Don't Understand . . .

❏ Watch the **Video** or **DVD** in a quiet place. Try to stay focused. If you get lost, stop the **Video** or **DVD**. Replay it and find your place.
❏ Listen to the **CDs** in a quiet place. If you get lost, stop the **CDs**. Replay them and find your place. Try to sound like the people on the recording.
❏ On a separate sheet of paper, write down new words and expressions. Check for meaning.
❏ Say aloud anything you write. Make sure you understand everything you say.
❏ Write down any questions so that you can ask your partner or your teacher later.

Self Check

Répondez aux questions suivantes.

1. Pourquoi est-ce que Pierre met sa veste?
2. Où vont Pierre et Armelle?
3. Est-ce que Pierre a rangé le salon?
4. Qui est Caroline?
5. Pourquoi est-ce que Pierre a téléphoné à Caroline?

Answers

1. Pierre met sa veste parce qu'il va sortir. 2. Pierre et Armelle vont au cinéma. 3. Non, Pierre a rangé sa chambre. 4. Caroline est la tante de Pierre. 5. Il lui a téléphoné parce que c'est son anniversaire.

Nom _____

Classe _____ Date _____ _____

Discovering
FRENCH
Nouveau!
BLANC

Unité 2
Leçon 6
Absent Student Copymasters

A. Le passé composé avec *avoir,* pages 110–112

Materials Checklist
❑ **Student Text**
❑ **Audio** CD 7, Tracks 9–10
❑ **Workbook**

Steps to Follow
❑ Study *Le passé composé avec* ***avoir*** (pp. 110–111). Say the model sentences aloud. Check meanings.
❑ Copy the **passé composé** of **visiter** (p. 110). Say the model sentences aloud.
❑ Study the chart of past participle endings (p. 111). Write the **passé composé** conjugation of **travailler**, **finir**, and **attendre**.
❑ Do Listening/Speaking Activities Section 2, Activities C–D in the **Workbook** (pp. 53–54). Use **Audio** CD 7, Tracks 9–10.
❑ Do Activity 1 in the text (p. 111). Write complete sentences and circle the verb in the **passé composé** in each one.
❑ Do Activity 2 in the text (p. 111). Write the parts for both speakers. Read them aloud.
❑ Study *Vocabulaire: Quand?* (p. 112). Read the model sentences aloud.
❑ Do Activities 3 and 4 in the text (p. 112). Write the answers in complete sentences on a separate sheet of paper.

If You Don't Understand . . .
❑ Reread activity directions. Put the directions in your own words.
❑ Read the model several times. Be sure you understand it.
❑ Say aloud everything that you write. Be sure you understand what you are saying.
❑ When writing a sentence, ask yourself, "What do I mean? What am I trying to say?"
❑ Listen to the **CD** in a quiet place. Try to stay focused. If you get lost, stop the **CD**. Replay it and find your place.
❑ Write down any questions so that you can ask your partner or your teacher later.

Self Check

Faites des phrases d'après le modèle. Soyez logique.

▶ le week-end dernier / il / rencontrer des amis
Le week-end dernier il a rencontré des amis.

1. samedi dernier / nous / nettoyer /maison
2. hier après-midi / vous / finir / votre travail
3. hier / elles / ranger / leur chambre
4. dimanche passé / tu / faire une promenade
5. la semaine dernière / je / laver / la voiture
6. lundi / il / attendre des copains

Answers

1. Samedi dernier nous avons nettoyé la maison. 2. Hier après-midi vous avez fini votre travail. 3. Hier elles ont rangé leur chambre. 4. Dimanche passé tu as fait une promenade. 5. La semaine dernière j'ai lavé la voiture. 6. Lundi il a attendu des copains.

Nom _____

Classe _____ Date _____

Discovering
FRENCH
Nouveau!

B L A N C

B. Le passé composé: forme négative, page 113

Materials Checklist

❏ **Student Text**
❏ **Audio** CD 7, Track 11
❏ **Workbook**

Steps to Follow

❏ Study *Le passé composé: forme négative* (p. 113). Copy the model sentences and say each one aloud. Circle the negative form of the **passé composé** in each sentence. Check meaning.

❏ Do Listening/Speaking Activities Section 2 Activity E in the **Workbook** (p. 54). Use **Audio** CD 7, Track 11.

❏ Do Activity 5 in the text (p. 113). Write the questions and answers in complete sentences. Read both parts aloud.

❏ Do Activity 6 in the text. Underline the negative form of the **passé composé** in your answers.

❏ Do Writing Activities A/B 1–2 in the **Workbook** (p. 57).

If You Don't Understand . . .

❏ Reread activity directions. Put the directions in your own words.
❏ Read the model several times. Be sure you understand it.
❏ Say aloud everything that you write. Be sure you understand what you are saying.
❏ When writing a sentence, ask yourself, "What do I mean? What am I trying to say?"
❏ Listen to the **CD** in a quiet place. Try to stay focused. If you get lost, stop the **CD**. Replay it and find your place.
❏ Write down any questions so that you can ask your partner or your teacher later.

Self Check

Expliquez ce que les personnes suivantes n'ont pas fait d'après le modèle.

▶ L'été passé / Anne / voyager / en France
L'été passé Anne n'a pas voyagé en France.

1. je / étudier / hier soir
2. vous / visiter / le Louvre
3. nous / attendre / nos amis

4. elles / organiser une boum
5. ils / finir / leurs devoirs
6. tu / rencontrer / mes copains

Answers

1. Je n'ai pas étudié hier soir. 2. Vous n'avez pas visité le Louvre. 3. Nous n'avons pas attendu nos amis. 4. Elles n'ont pas organisé une boum. 5. Ils n'ont pas fini leurs devoirs. 6. Tu n'as pas rencontré mes copains.

Nom _____

Classe _____ Date _____

**Discovering
FRENCH**
Nouveau!
B L A N C

C. Les questions au passé composé, pages 114–115

Materials Checklist
❏ **Student Text**
❏ **Audio** CD 7, Track 12
❏ **Workbook**

Steps to Follow
❏ Study *Les questions au passé composé* (p. 114). Copy the model sentences. Say them aloud. When may inversion be used with the **passé composé**?
❏ Do Listening/Speaking Activities Section 2, Activity F in the **Workbook** (p. 55). Use **Audio** CD 7, Track 12.
❏ Do Activities 7 and 8 in the text (p. 114). Write the questions and answers for both speakers in complete sentences. Circle the **passé composé** of the verb in each question. Read the questions and answers aloud.
❏ Do Activities 9 and 10 in the text (p. 115). Write both parts of each dialogue. Circle the **passé composé** of the verb in the questions and the answers.
❏ Study *Vocabulaire: Expressions pour la conversation* (p. 115).
❏ Do Activity 11 in the text (p. 115). Write the questions and the answers. Underline the **passé composé** and circle **quand?**, **où?**, **avec qui?**, or **pourquoi**?
❏ Do Writing Activity C 3 in the **Workbook** (p. 58).

If You Don't Understand . . .
❏ Reread activity directions. Put the directions in your own words.
❏ Read the model several times. Be sure you understand it.
❏ Say aloud everything that you write. Be sure you understand what you are saying.
❏ When writing a sentence, ask yourself, "What do I mean? What am I trying to say?"
❏ Listen to the **CD** in a quiet place. Try to stay focused. If you get lost, stop the **CD**. Replay it and find your place.
❏ Write down any questions so that you can ask your partner or your teacher later.

Self Check
Écrivez des questions d'après le modèle.

▶ quand / vous / voyager / en France
Quand est-ce que vous avez voyagé en France?

1. où / tu / acheter / ce pull
2. avec qui / tu / regarder / le film
3 quand / vous / manger / au restaurant

4. pourquoi / Monique / choisir / cet hôtel
5. avec qui / il / faire une promenade
6. à qui / nous / parler

Answers

qui est-ce que nous avons parlé? / À qui avons-nous parlé?
hôtel? 5. Avec qui est-ce qu'il a fait une promenade? / Avec qui a-t-il fait une promenade? 6. À
restaurant? / Quand avez-vous mangé au restaurant? 4. Pourquoi est-ce que Monique a choisi cet
regardé le film? / Avec qui as-tu regardé le film? 3. Quand est-ce que vous avez mangé au
1. Où est-ce que tu as acheté ce pull? / Où as-tu acheté ce pull? 2. Avec qui est-ce que tu as

Nom _____

Classe _____ Date _____

Discovering
FRENCH
Nouveau!

B L A N C

D. Les verbes *prendre* et *mettre,* pages 116–117

Materials Checklist

❑ **Student Text**
❑ **Audio** CD 2, Track 6; **Audio** CD 7, Track 13
❑ **Workbook**

Steps to Follow

❑ Review the present tense forms of **prendre** and **mettre** (p. 116). Copy the model sentences. Say them aloud. Circle the subject and the verb in each sentence.
❑ Study **prendre** and the verbs that are conjugated like it (p. 116). Write the new verbs and their model sentences on a separate sheet of paper. Say each one aloud.
❑ Do Listening/Speaking Activities Section 2, Activity G in the **Workbook** (p. 56). Use **Audio** CD 7, Track 13.
❑ Study **mettre** and the verbs that are conjugated like it (p. 116). Write the model sentences and say them aloud.
❑ Do Activity 12 in the text (p. 116). Circle the verb in each sentence.
❑ Do Writing Activities D 4–5 and 6 in the **Workbook** (pp. 58–60).
❑ Do Activity 1 of *À votre tour* in the text (p. 117). Use **Audio** CD 2, Track 6.

If You Don't Understand . . .

❑ Listen to the **CDs** in a quiet place. Try to stay focused. If you get lost, stop the **CDs**. Replay them and find your place.
❑ Reread activity directions. Put the directions in your own words.
❑ Read the model several times. Be sure you understand it.
❑ Say aloud everything that you write. Be sure you understand what you are saying.
❑ When writing a sentence, ask yourself, "What do I mean? What am I trying to say?"
❑ Write down any questions so that you can ask your partner or your teacher later.

Self Check

Écrivez des phrase d'après le modèle.

▶ je / apprendre / le français
J'apprends le français.

1. Alice / comprendre / l'espagnol
2. nous / mettre / une veste / quand il fait froid
3. vous / apprendre à / jouer au tennis
4. il / permettre à / son fils / jouer au foot
5. nous / promettre / rentrer / à l'heure

Answers

1. Alice comprend l'espagnol. 2. Nous mettons une veste quand il fait froid. 3. Vous apprenez à jouer au tennis. 4. Il permet à son fils de jouer au foot. 5. Nous promettons de rentrer à l'heure.

Nom _____

Classe _____ Date _____

LEÇON 6 Pierre a un rendez-vous

Avant ou après le dîner?

Ask a family member whether the following activities should be done before or after dinner.

- First, explain your assignment.

- Next, help the family member pronounce the words. Model the pronunciation as you point to each picture. Give English equivalents if necessary.

- Then, read each activity. Ask the family member to mark the appropriate column.

- When you have the answers, complete the sentence below.

avant   **après**

_____   _____   **rencontrer des copains**

_____   _____   **aller dans les magasins**

_____   _____   **faire les devoirs**

_____   _____   **ranger la chambre**

_____   _____   **assister à un concert de rock**

On _____ **avant le dîner et on**

_____ **après le dîner.**

Nom _____

Classe _____ Date _____

Les villes

Find out if a family member has ever visited the following cities.

- First, explain your assignment.

- Correctly model the pronunciation of the words **oui** and **non.**

- Then, ask the question, **Est-ce que tu as déjà visité . . .**

- When you have the answers, complete the sentences below, saying which cities your family member has visited and which ones he or she has not visited.

	oui	non
Boston?		
New York?		
Washington, D.C.?		
Paris?		
Montréal?		
Dakar?		

_____ a déjà visité _____.

_____ n'a jamais visité _____.

Discovering
FRENCH
Nouveau!

BLANC

Unité 2
Leçon 6
Video Activities

LEÇON 6   Pierre a un rendez-vous

Cultural Commentary

In many respects, the Duval home is typical of other French houses.

For reasons of privacy and security, the house is surrounded by an outside wall (**un mur**) with a large gate (**une porte**) that can be closed for increased privacy.

The garage door is of the accordion-folding variety rather than the vertical sliding design typical in the United States.

Since French houses are built to last, the construction is of a durable building material, usually stone or concrete as opposed to wood. For this reason, French homes are relatively expensive to purchase.

The roof is covered with clay tiles (**les tuiles**) for insulation and durability.

The house includes an outdoor extension (in this case, **une véranda**) so that occupants can enjoy the fresh air when the weather permits.

Mme Duval is practicing her parental responsibilities by checking to make sure that Pierre has performed certain duties before giving him permission to go out.

Grammar Correlation

A Le passé composé avec *avoir* (Student text, pp. 110–111)

Mme Duval: Et tu **as rangé** ta chambre?
Pierre: Bien sûr, j'ai même **passé** l'aspirateur.
Mme Duval: Est-ce que tu **as fini** ton travail?
Pierre: Mais oui, je l'**ai fini** hier soir.

B Le passé composé: forme négative (Student text, p. 113)

Pierre: T'en fais pas, je **n'ai pas oublié**.

C Les questions au passé composé (Student text, p. 114)

Mme Duval: **Tu as** rangé ta chambre?
   Est-ce que tu as téléphoné à ta tante Caroline?
Armelle: **Qu'est-ce que tu as** acheté? (Leçon 7)

D Les verbes *prendre* et *mettre* (Student text, p. 116)

Mme Duval: Pourquoi est-ce que tu **mets** ta veste?

Discovering
FRENCH
Nouveau!

BLANC

LEÇON 6 Pierre a un rendez-vous

Activité 1. Et toi?

Before watching the video module, answer the following questions.

1. Where do you like to go during your free time? _____
_____
_____

2. What do you do there? _____
_____
_____

3. Do you ever have to do certain things at home before going out? If so, what? _____
_____
_____

Activité 2. M. et Mme Duval

Counter 24:30–25:00

Who are Monsieur and Madame Duval? As you watch the video segment, circle the letter of
the correct completion in the sentences below.

1. M. et Mme Duval sont ___ de Pierre.

    a. les grands-parents   b. les parents   c. les voisins

2. Aujourd'hui, nous sommes ___.

    a. vendredi   b. samedi   c. dimanche

3. Pierre est ___.

    a. à la maison   b. en ville   c. à l'école

4. Il a rendez-vous ___.

    a. demain   b. ce soir   c. cet après-midi

Nom _____

Classe _____ Date _____

Activité 3. Pierre se prépare

Counter 24:41–25:00

Pierre is preparing to go out. As you watch the video, fill in the missing words in the sentences below.

> Pierre met sa _____ parce qu'il a rendez-vous avec
> _____ aujourd'hui. Ils vont aller au _____ .

Activité 4. Responsabilités!

Counter 25:01–25:29

Pierre had to do certain things before going out. Starting with 1 and ending with 4, number Pierre's activities as you watch the video segment.

Mais oui, Maman...

a. _____ J'ai rangé ma chambre.

b. _____ J'ai téléphoné à ma tante Caroline.

c. _____ J'ai fini mon travail.

d. _____ J'ai même passé l'aspirateur.

▶ **Tu as bien compris?**

Pierre a téléphoné à sa tante Caroline parce que c'est

son ☐☐☐☐☐☐☐☐☐☐☐☐ .

▶ **EXPRESSION POUR LA CONVERSATION: T'en fais pas!**

Question: What do you think Pierre said to his mother when he told her **«T'en fais pas!»**?

Réponse: _____ *

Nom _____

Classe _____ Date _____

Discovering
FRENCH *Nouveau!*

B L A N C

Activité 5. T'en fais pas!

Think of a situation in which you have told someone not to worry. Fill in the bubble below with one or more sentences—in French! Then, get together with a classmate and share your situations. (If necessary, consult the English-French vocabulary section in your text book, pp. R55–R70.)

TOI:

_____:

(nom de l'autre personne)

T'en fais pas!

Activité 6. Méli-mélo *(mumbo-jumbo)*

Pierre's answers to Mme Duval's questions got all mixed up. Draw a line from the questions on the left to the corresponding answers on the right. (*Note*: One answer is not used—it is the intruder.)

1. —Dis-donc, Pierre, pourqui est-ce que tu mets ta vest?

a. Mais oui, tu sais bien, je l'ai fini hier soir.

2. —Où vas-tu?

b. T'en fais pas. Je n'ai pas oublié.

3. —Dis-moi, est-ce que tu as fini ton travail?

c. Je vais sortir.

4. —Et tu as rangé ta chambre?

d. J'ai rendez-vous avec Armelle.

5. —Est-ce que tu as téléphoné à ta tante Caroline?

e. Dis, Maman, je peux partir?

Did you find the intruder? Circle it!

f. Bien sûr! J'ai même passé l'aspirateur.

Nom _____

Classe _____ Date _____

Discovering
FRENCH
Nouveau!

B L A N C

Activité 7. Un jeu de rôle

Imagine that your son or daughter wants to go out. Prepare a list of four things that he/she must do before leaving. Then, *using complete sentences*, role-play the situation with a classmate and record your partner's answers by circling the appropriate response—**"oui"** or **"non."** (*Note:* If you need ideas, consult Unité 3, Leçon 6 of your textbook.)

→ (you write:)
préparer l'examen

(you ask:)
Est-ce que tu as préparé l'examen?

(your partner answers:)
Oui, j'ai préparé l'examen.

(you circle:) (oui) non

1. _____ **oui**   **non**

2. _____ **oui**   **non**

3. _____ **oui**   **non**

4. _____ **oui**   **non**

Discovering
FRENCH
Nouveau!

BLANC

LEÇON 6 Vidéo-scène: Pierre a un rendez-vous

Video 1, DVD 1

Counter 24:22–25:42

Counter 24:30–24:34 **1.** CLAIRE: Nous allons faire la connaissance de Madame et Monsieur Duval, les parents de Pierre.

Counter 24:35–24:40 **2.** Nous sommes samedi aujourd'hui. Pierre est chez lui.

Counter 24:41–25:00 **3.** Cet après-midi, il a un rendez-vous avec Armelle, et il se prépare à sortir. Regardez et écoutez.

MME D: Dis donc, Pierre, pourquoi est-ce que tu mets ta veste?
PIERRE: Je vais sortir.
MME D: Où vas-tu?
PIERRE: J'ai rendez-vous avec Armelle. Nous allons aller au cinéma.

Counter 25:01–25:09 **4.** MME D: Une seconde, dis-moi, est-ce que tu as fini ton travail?
PIERRE: Mais oui, tu sais bien, je l'ai fini hier soir.

Counter 25:10–25:16 **5.** MME D: Et tu as rangé ta chambre?
PIERRE: Bien sûr que j'ai rangé ma chambre. J'ai même passé l'aspirateur.

Counter 25:17–25:29 **6.** MME D: Est-ce que tu as téléphoné à ta tante Caroline? C'est son anniversaire aujourd'hui.
PIERRE: T'en fais pas, je ne l'ai pas oublié. Je lui ai téléphoné hier soir.

Counter 25:30–25:42 **7.** Dis, Maman, je peux partir?
MME D: Mais oui! Amuse-toi bien.

Discovering
FRENCH
Nouveau!

B L A N C

Unité 2
Leçon 6

Audioscripts

LEÇON 6   Pierre a un rendez-vous

PE AUDIO

CD 2, Track 5

Vidéo-scène, p. 108

CLAIRE: Dans cette unité, nous allons faire la connaissance de Madame et Monsieur Duval, les parents de Pierre. Nous sommes samedi aujourd'hui. Pierre est chez lui.

CLAIRE: Cet après-midi, Pierre a rendez-vous avec Armelle. Il s'apprête à partir quand sa mère lui demande ce qu'il va faire . . .

MME D: Dis donc, Pierre, pourquoi est-ce que tu mets ta veste?

PIERRE: Je vais sortir.

MME D: Où vas-tu?

PIERRE: J'ai rendez-vous avec Armelle . . . Nous allons aller au cinéma.

MME D: Une seconde . . . Dis-moi, est-ce que tu as fini ton travail?

PIERRE: Mais oui, tu sais bien, je l'ai fini hier soir.

MME D: Et tu as rangé ta chambre?

PIERRE: Bien sûr que j'ai rangé ma chambre. J'ai même passé l'aspirateur.

MME D: Est-ce que tu as téléphoné à ta tante Caroline? C'est son anniversaire aujourd'hui.

PIERRE: T'en fais pas, je n'ai pas oublié. Je lui ai téléphoné hier soir.

PIERRE: Dis, Maman, je peux partir?

MME D: Mais oui! Amuse-toi bien.

CLAIRE: Pierre embrasse sa mère. Puis, il sort et va à son rendez-vous avec Armelle . . .

À votre tour!

CD 2, Track 6

1. Situation: Un voyage au Canada, p. 117

Pauline a passé la semaine dernière au Canada. Jean-Claude lui pose quelques questions. Écoutez la conversation entre Pauline et Jean-Claude.

JEAN-CLAUDE: Dis, Pauline, comment est-ce que tu as voyagé au Canada?

PAULINE: J'ai voyagé en train.

JEAN-CLAUDE: Tu as visité Québec ou Montréal?

PAULINE : J'ai visité Québec, et après j'ai visité Montréal.

JEAN-CLAUDE: Tu as rencontré des jeunes canadiens?

PAULINE : Oui, j'ai rencontré beaucoup de jeunes très sympathiques.

JEAN-CLAUDE: Tu as parlé français ou anglais?

PAULINE : J'ai parlé français, bien sûr!

JEAN-CLAUDE: Dis! Est-ce que tu as acheté des souvenirs?

PAULINE : Oui, j'ai acheté un tee-shirt pour mon copain et un livre sur le Canada pour ma soeur.

JEAN-CLAUDE: Et pour moi?

PAULINE : Pour toi? Zut! Je n'ai rien acheté!

B L A N C

WORKBOOK AUDIO

Section 1. Vidéo-scène

CD 7, Track 7

Activité A. Compréhension générale, p. 108

Allez à la page 108 de votre texte.

CLAIRE: Dans cette unité, nous allons faire la connaissance de Madame et Monsieur Duval, les parents de Pierre. Nous sommes samedi aujourd'hui. Pierre est chez lui. Cet après-midi, Pierre a rendez-vous avec Armelle. Il s'apprête à partir quand sa mère lui demande ce qu'il va faire . . .

MME D: Dis donc, Pierre, pourquoi est-ce que tu mets ta veste?

PIERRE: Je vais sortir.

MME D: Où vas-tu?

PIERRE: J'ai rendez-vous avec Armelle . . . Nous allons aller au cinéma.

MME D: Une seconde … Dis-moi, est-ce que tu as fini ton travail?

PIERRE: Mais oui, tu sais bien, je l'ai fini hier soir.

MME D: Et tu as rangé ta chambre?

PIERRE: Bien sûr que j'ai rangé ma chambre. J'ai même passé l'aspirateur.

MME D: Est-ce que tu as téléphoné à ta tante Caroline? C'est son anniversaire aujourd'hui.

PIERRE: T'en fais pas, je n'ai pas oublié. Je lui ai téléphoné hier soir.

PIERRE: Dis, Maman, je peux partir?

MME D: Mais oui! Amuse-toi bien.

CLAIRE: Pierre embrasse sa mère. Puis, il sort et va à son rendez-vous avec Armelle . . .

CD 7, Track 8

Activité B. Avez-vous compris?

Maintenant ouvrez votre cahier d'activités. Écoutez bien et indiquez si les phrases suivantes sont vraies ou fausses. Vous allez entendre chaque phrase deux fois. Êtes-vous prêts?

1. Pierre met sa veste parce qu'il va sortir. #
2. Pierre a rendez-vous avec Corinne. #
3. Pierre a fini son travail hier soir. #
4. Pierre n'a pas rangé sa chambre. #
5. Aujourd'hui c'est l'anniversaire de son oncle Robert. #
6. La mère de Pierre dit: «Amuse-toi bien!» #

Maintenant, corrigez vos réponses.

1. Pierre met sa veste parce qu'il va sortir. Vrai.
2. Pierre a rendez-vous avec Corinne. Faux. Il a rendez-vous avec Armelle.
3. Pierre a fini son travail hier soir. Vrai.
4. Pierre n'a pas rangé sa chambre. Faux. Il a rangé sa chambre.
5. Aujourd'hui c'est l'anniversaire de son oncle Robert. Faux. C'est l'anniversaire de sa tante Caroline.
6. La mère de Pierre dit: «Amuse-toi bien!» Vrai.

Section 2. Langue et communication

CD 7, Track 9

Activité C. Samedi dernier

Look at the four drawings in your workbook. You will hear what various people did last Saturday. Select the corresponding scene and check the appropriate box.

Modèle: Marc et Daniel ont joué au volley.
You would mark B.

1. Les garçons ont joué au football. #
2. Nous avons assisté à un concert de rock. #
3. Marie a bronzé. #
4. Olivier a joué aux jeux vidéo avec ses copains. #
5. Vous avez rencontré des amis au café. #
6. Tu as regardé un match de foot. #
7. Thomas et Michèle ont nagé. #
8. Claire a retrouvé ses copains au concert. #

Now, check your work. Maintenant vérifiez vos réponses. You should have marked: 1–D, 2–C, 3–B, 4–A, 5–A, 6–D, 7–B, and 8–C.

CD 7, Track 10

Activité D. À la maison

Unfortunately, you and your brother did not go out this weekend. You had to help around the house.

Répondez **oui** aux questions suivantes.

Modèle: Avez-vous aidé vos parents?
Oui, nous avons aidé nos parents.

1. Avez-vous rangé le salon? #
   Oui, nous avons rangé le salon.
2. Avez-vous rangé vos affaires? #
   Oui, nous avons rangé nos affaires.
3. Avez-vous nettoyé le garage? #
   Oui, nous avons nettoyé le garage.
4. Avez-vous lavé la voiture? #
   Oui, nous avons lavé la voiture.

CD 7, Track 11

Activité E. Pas de chance

It's Sunday morning. Your cousin Caroline is phoning to find out what you did yesterday. Since you stayed home all day, you didn't do any of the things she mentions.

Répondez **non** aux questions de Caroline.

Modèle: Tu as joué au volley?
Non, je n'ai pas joué au volley.

1. Tu as joué au foot? #
   Non, je n'ai pas joué au foot.
2. Tu as nagé? #
   Non, je n'ai pas nagé.
3. Tu as assisté à un concert de rock? #
   Non, je n'ai pas assisté à un concert de rock.
4. Tu as rendu visite à ta tante? #
   Non, je n'ai pas rendu visite à ma tante.
5. Tu as rencontré tes copains au café? #
   Non, je n'ai pas rencontré mes copains au café.
6. Tu as assisté à un match de foot? #
   Non, je n'ai pas assisté à un match de foot.

CD 7, Track 12

Activité F. Oui ou non?

Regardez les images suivantes et répondez aux questions.

Modèle A: Est-ce que Robert a perdu son argent?
Oui, il a perdu son argent.

Modèle B: Est-ce que Juliette a grossi?
Non, elle n'a pas grossi.

1. Est-ce que Paul a fini ses devoirs? #
Non, il n'a pas fini ses devoirs.
2. Est-ce que Sophie a répondu au téléphone? #
Oui, elle a répondu au téléphone.
3. Est-ce que M. Dupois a maigri? #
Non, il n'a pas maigri.
4. Est-ce que Béatrice a vendu son vélo? #
Oui, elle a vendu son vélo.
5. Est-ce que Jean-Paul a rendu visite à ses grands-parents? #
Oui, il a rendu visite à ses grands-parents.
6. Est-ce que Stéphanie a choisi la pizza? #
Non, elle n'a pas choisi la pizza.

CD 7, Track 13

Activité G. Une visite au Musée du Louvre

Pierre and his friends are visiting the Musée du Louvre. How are they all getting there? Listen carefully and circle the correct completion.

Modèle: Pierre prend le métro.
You should have circled the first word, **le métro.**

1. Vous prenez un taxi. #
2. Nous prenons le bus. #
3. Je prends ma voiture. #
4. Tu prends ton vélo. #
5. Anne prend son scooter. #
6. Marc et Paul prennent le métro. #

Now listen again. This time you will hear the WRONG information. Correct the speaker according to the answers you circled in your workbook.

Modèle: Pierre prend le bus.
Non, Pierre prend le métro.

1. Vous prenez la voiture. #
Non, vous prenez un taxi.
2. Nous prenons le métro. #
Non, nous prenons le bus.
3. Je prends ma moto. #
Non, je prends ma voiture.
4. Tu prends ton scooter. #
Non, tu prends ton vélo.
5. Anne prend sa voiture. #
Non, Anne prend son scooter.
6. Marc et Paul prennent un taxi. #
Non, Marc et Paul prennent le métro.

LESSON 6 QUIZ

Part I: Listening

CD 16, Track 2

A. Conversations

You will hear a series of short conversations. These conversations are incomplete. Select the most logical continuation of each conversation and circle the corresponding letter: a, b, or c. You will hear each conversation twice.

Écoutez.

Conversation 1. Thomas et Alice sont au club de tennis.

THOMAS: Avec qui est-ce que tu as joué au tennis?
ALICE: Avec Monique.
THOMAS: Est-ce que tu as gagné?

Conversation 2. Juliette et Marc visitent Paris.

JULIETTE: Tu veux visiter un musée?
MARC: Oui, d'accord.
JULIETTE: Est-ce que tu as déjà visité le Musée d'Orsay?

Conversation 3. Madame Leclerc parle à son fils.

MME LECLERC: Tu as fini tes devoirs?
Son fils: Oui, bien sûr.
MME LECLERC: Et qu'est-ce que tu vas faire maintenant?

Conversation 4. Philippe et Sylvie sont au café.

PHILIPPE: Tu as faim?
SYLVIE: Non, j'ai soif.
PHILIPPE: Qu'est-ce que tu vas prendre?

Conversation 5. Catherine et Jean-Michel parlent de la classe d'anglais.

CATHERINE: Tu aimes la classe d'anglais?
JEAN-MICHEL: Oui, le prof est excellent.
CATHERINE: Est-ce que tu comprends quand il parle anglais?

Conversation 6. Isabelle parle à son frère Olivier.

ISABELLE: Tu as froid?
OLIVIER: Non.
ISABELLE: Alors, pourquoi est-ce que tu mets ta veste?

Nom _____

Classe _____ Date _____

QUIZ 6

Part I: Listening

A. Conversations (30 points: 5 points each)

You will hear a series of short conversations. These conversations are incomplete. Select the most logical CONTINUATION of each conversation and circle the corresponding letter: a, b, or c.

Conversation 1. Thomas et Alice sont au club de tennis.
    a. Non, j'ai perdu.
    b. Oui, j'aime jouer au tennis.
    c. Oui, j'ai joué avec elle.

Conversation 2. Juliette et Marc visitent Paris.
    a. Oui, je visite Paris.
    b. Oui, je vais visiter ce musée.
    c. Non, je n'ai jamais visité ce musée.

Conversation 3. Madame Leclerc parle à son fils.
    a. Je vais voir un film à la télé.
    b. J'ai joué aux jeux-vidéo.
    c. Je n'ai pas réussi à l'examen.

Conversation 4. Philippe et Sylvie sont au café.
    a. Une limonade.
    b. Je n'ai pas payé.
    c. Je vais prendre le métro.

Conversation 5. Catherine et Jean-Michel parlent de la classe d'anglais.
    a. Non, pas toujours!
    b. Non, je n'ai pas parlé anglais.
    c. Oui, il aime parler.

Conversation 6. Isabelle parle à son frère Olivier.
    a. J'ai chaud.
    b. Je vais sortir.
    c. Je vais mettre la télé.

Nom _____

Classe _____ Date _____ _____

Discovering FRENCH *Nouveau!*

BLANC

Unité 2
Leçon 6

Lesson Quiz

Part II: Writing

B. Oui et non (50 points: 5 points each)

Say that the following people did the first thing in parentheses, but not the second. Use the PASSÉ COMPOSÉ.

1. (ranger)   Oui, Céline _____ sa chambre.

    (finir)   Non, elle _____ ses devoirs.

2. (téléphoner) Oui, tu _____ à tes copains.

    (répondre)   Non, tu _____ au mail de
                  ta cousine.

3. (maigrir)   Oui, vous _____.

    (grossir)   Non, vous _____.

4. (jouer)   Oui, nous _____ aux jeux vidéo.

    (entendre)   Non, nous _____ le téléphone.

5. (choisir)   Oui, Stéphanie et Caroline _____ des tee-shirts.

    (acheter)   Non, elles _____ des vestes.

C. Expression personnelle (20 points: 5 points each)

Describe two (2) things you did recently and two (2) things you did not do. Use the PASSÉ COMPOSÉ of verbs in the box.

acheter (quoi?)	**choisir** (quoi?)	**finir** (quoi?)	**visiter** (quoi?)
regarder (quoi?)	**écouter** (quoi?)	**aider** (qui?)	**dîner** (où?)
répondre à (qui?)	**assister à** (quoi?)	**téléphoner à** (qui?)	**rendre visite à** (qui?)

OUI	• _____ • _____
NON	• _____ • _____

Nom _____

Classe _____ Date _____

LEÇON 7 Les achats de Corinne

LISTENING/SPEAKING ACTIVITIES

Section 1. Vidéo-scène

A. Compréhension générale

 Allez à la page 120 de votre texte. Écoutez.

B. Avez-vous compris?

	vrai	faux		vrai	faux
1.	☑	☐	4.	☑	☐
2.	☑	☐	5.	☐	☑
3.	☐	☑	6.	☐	☑

Section 2. Langue et communication

C. À la campagne

▶ **Alain voit [une vache / un cheval] dans les champs.**

1. Vous voyez [un écureuil / un oiseau] dans l'arbre.

2. Je vois [une poule / un lapin] dans la forêt.

3. Nous voyons [un canard / un poisson] dans la rivière.

4. Tu vois [des chevaux / des fleurs] dans la prairie.

5. Jérôme et Juliette voient [des canards / des poissons] sur le lac.

6. Sylvie voit [un cochon / une poule] près de la ferme.

▶ —Alain voit un cheval dans les champs.
   —Non, Alain voit une vache.

1. Non, vous voyez un écureuil.
2. Non, je vois un lapin.
3. Non, nous voyons un poisson.

4. Non, tu vois des chevaux.
5. Non, Jérôme et Juliette voient des canards.
6. Non, Sylvie voit un cochon.

Nom _____

Classe _____ Date _____

D. Hier après-midi

	▶	1	2	3	4	5	6	7
A				✓		✓		
B		✓						✓
C					✓		✓	
D	✓		✓					

E. Le week-end dernier

au café? à la piscine? au stade? au ciné? en ville? à la bibliothèque?

▶ Marc a mangé une glace. **Il est allé au café.**

1. Nous sommes allés au ciné.

2. Vous êtes allé à la piscine.

3. Je suis allé au stade.

4. Elle est allée en ville.

5. Tu es allée à la bibliothèque.

6. Ils sont allés en ville.

F. Mon calendrier

LUNDI 10	MARDI 11	MERCREDI 12	JEUDI 13	VENDREDI 14	SAMEDI 15	DIMANCHE 16
20h assister à un concert de rock		9h laver la voiture — 13h30 aller à un match de foot — 21h voir un film à la télé	14h nettoyer ma chambre — 20h retrouver mes amis au café	16h aller à la pêche	randonnée à vélo	

Aujourd'hui nous sommes jeudi, le treize juillet.

▶ —Qu'est-ce que tu vas faire cet après-midi?
   —Cet après-midi, je vais nettoyer ma chambre.

1. Ce soir, je vais retrouver mes amis au café.

2. Vendredi après-midi, je vais aller à la pêche.

3. Le week-end prochain, je vais faire une randonnée à vélo.

▶ —Qu'est-ce que tu as fait hier matin?
   —Hier matin, j'ai lavé la voiture.

4. Hier après-midi, je suis allé(e) à un match de foot.

5. Hier soir, j'ai vu un film à la télé.

6. Lundi dernier, j'ai assisté à un concert de rock.

Nom _____

Classe _____ Date _____

Discovering
FRENCH
Nouveau!

B L A N C

WRITING ACTIVITIES

A 1. À la campagne

Friends are going for a walk in the country. Describe what they each see by filling in the blanks with the appropriate forms of **voir**.

1. Nous _voyons_____ une ferme.

2. Tu _vois_____ un lac.

3. Marc _voit_____ des vaches.

4. Vous _voyez_____ un cheval dans une prairie.

5. Je _vois_____ un écureuil dans un arbre.

6. Philippe et Stéphanie _voient_____ des oiseaux.

B 2. Qu'est-ce qu'ils ont fait?

Describe what the following people did Saturday using the PASSÉ COMPOSÉ of the verbs in parentheses.

1. (prendre / être)   Nous _avons pris_____ le bus.

   Nous _avons été_____ en ville.

2. (faire des achats / acheter)   J' _ai fait des achats_____ .

   J' _ai acheté_____ des vêtements.

3. (être / voir)   Sébastien _a été_____ au cinéma.

   Il _a vu_____ un western.

4. (mettre / danser)   Catherine et Julie _ont mis_____ des CD.

   Elles _ont dansé_____ .

5. (faire / prendre)   Tu _as fait_____ un tour à la campagne.

   Tu _as pris_____ des photos.

Nom _____

Classe _____ Date _____

B 3. Et toi?

Say whether or not you did the following things last Saturday.

▶ faire un pique-nique? J'ai fait un pique-nique. (Je n'ai pas fait de pique-nique.)

1. faire une promenade à vélo? Je n'ai pas fait de promenade à vélo. (J'ai fait une
promenade à vélo.)

2. avoir un rendez-vous? J'ai eu un rendez-vous. (Je n'ai pas eu de rendez-vous.)

3. voir un film? J'ai vu un film. (Je n'ai pas vu de film.)

4. prendre des photos? Je n'al pas pris de photos. (J'ai pris des photos.)

5. être chez des copains? Je suis allé(e) chez des copains. (Je ne suls pas allé(e) chez
des copains.)

6. mettre des vêtements élégants? Je n'al pas mis de vêtements élégants.
(J'ai mis des vêtements élégants.)

C 4. Armelle a la grippe (Armelle has the flu)

Armelle is in bed with the flu. She cannot see anyone or do anything. When Pierre calls, she
answers all his questions negatively. Write her replies, using the PRESENT TENSE in 1–3 and the
PASSÉ COMPOSÉ in 4–6. Be sure to use the appropriate *negative* expressions.

Pierre:

1 Tu fais quelque chose?

2. Tu attends quelqu'un?

3. Tu regardes quelque chose à la téléaa?

4. Tu as mangé quelque chose?

5. Tu as vu quelqu'un?

6. Tu as parlé à quelqu'un?

Armelle:

Je ne fais rien.

Je n'attends personne.

Je ne regarde rien à la télé.

Je n'ai rien mangé.

Je n'ai vu personne.

Je n'ai parlé à personne.

D 5. Week-end à Paris

A group of friends spent the weekend in Paris. Say where they
each went, using the PASSÉ COMPOSÉ of **aller**.

1. Nathalie est allée _____ au Louvre.

2. Éric et Jérôme sont allés _____ au Musée
d'Orsay.

3. Caroline et Claire sont allées _____ au Centre
Pompidou.

4. Vincent est allé _____ au Quartier Latin.

5. Émilie est allée _____ aux Champs-Élysées.

6. Philippe et François sont allés _____ au Jardin
du Luxembourg.

Nom _____

Classe _____ Date _____

Discovering
FRENCH
Nouveau!

B L A N C

Unité 2
Leçon 7

Workbook TE

B/D 6. Où sont-ils allés?

Describe what the following people did last weekend by completing the first sentence with the passé composé of the verb in parentheses. Then say where each one went, using the PASSÉ COMPOSÉ of **aller** and a logical expression from the box.

au zoo	au cinéma	dans une discothèque	à la campagne
à la plage	à l'hôpital	au supermarché	

▶ (acheter) Mélanie a acheté _____ des fruits.

Elle est allée au supermarché _____ .

1. (danser) Hélène et Julien ont dansé _____ .

Ils sont allés dans une discothèque _____ .

2. (faire) Nous avons fait _____ une promenade à cheval.

Nous sommes allé(e)s à la campagne _____ .

3. (voir) Vous avez vu _____ des lions et des panthères.

Vous êtes allé(e)s au zoo _____ .

4. (avoir) Mme Magord a eu _____ un accident d'auto.

Elle est allée à l'hôpital _____ .

5. (prendre) Tu as pris _____ un bain de soleil.

Tu es allé(e) à la plage _____ .

6. (voir) Florence et Élisabeth ont vu _____ un film japonais.

Elles sont allées au cinéma _____ .

7. Communication (sample answers)

A. Activités récentes Choose three activities and say when you did them.

- **téléphoner à un copain**
- **aller à une boum**
- **faire une promenade à vélo**
- **aller au cinéma**
- **visiter un musée**

- **faire un pique-nique**
- **avoir un rendez-vous**
- **assister à un match de baseball**
- **jouer aux jeux vidéo**
- **voir une pièce de théâtre** *(play)*

▶ Je suis allé(e) au cinéma samedi soir (dimanche après-midi, la semaine dernière).

- J'ai vu une pièce de théâtre samedi dernier. _____

- J'ai fait un pique-nique l'été dernier. _____

- Je suis allé(e) au cinéma hier soir. _____

Nom _____

Classe _____ Date _____

B. Un film Describe a recent movie using the following questions as a guide.

- Quand es-tu allé(e) au cinéma?
- À quel cinéma es-tu allé(e)?
- Quel film as-tu vu?
- Est-ce que tu as aimé le film?
- Qu'est-ce que tu as fait après?

> Je suis allé(e) au cinéma samedi dernier. Le cinéma
> s'appelle The Capitol. J'ai vu le film «La Belle et la
> Bête». J'ai beaucoup aimé ce film. Après je suis allé(e)
> au café at j'ai mangé une glace avec mes copains.

C. Le week-end dernier. Describe three or four things that you did last weekend. You may want to consider the following suggestions or add other activities of your choice. Use only expressions that you know in French.

- aller (où? avec qui?)
- rencontrer (qui?)
- voir (qui? quoi?)
- faire une promenade (où? avec qui?)
- acheter (quoi? où?)

> Je suis allé(e) à la campagne avec ma famille. J'ai
> rencontré ma nouvelle petite cousine. Elle a deux
> mois. J'ai vu mes oncles, mes tantes et mes
> grands-parents. J'ai fait une promenade près du lac
> avec mes parents.

Nom _____

Classe _____ Date _____

Discovering FRENCH *Nouveau!*

B L A N C

Unité 2
Leçon 7
Activités pour tous TE

LEÇON 7 Les achats de Corinne

A

Activité 1 Tu vois?

Complétez les phrases avec la forme correcte du verbe **voir.**

— Quand est-ce que vous allez *voir* _____ le film?

— Ce soir, à 8h. Tu veux venir avec nous?

— Non, j'ai déjà *vu* _____ ce film. Il est très bon.

— Vous *voyez* _____ l'homme là-bas?

— Non, nous ne *voyons* _____ personne.

— Tiens? Moi, je *vois* _____ un homme et c'est Tom Cruise.

Activité 2 Personne ou rien?

Entourez la réponse logique.

1. Qu'est-ce que tu vois?   (a.) Je ne vois rien.   b. Je ne vois personne.
2. Qui est-ce qui a fait ça?   (a.) Personne.   b. Rien.
3. Et ça, c'est à qui?   (a.) Ce n'est à personne.   b. Ce n'est rien.
4. Et ça, qu'est-ce que c'est?   a. Ce n'est personne.   (b.) Ce n'est rien.

Activité 3 Quand ça?

Regardez les petites cases puis complétez les phrases avec la forme correcte du verbe **aller.**

avant	aujourd'hui	plus tard	
❏	☒	❏	1. Je *vais* _____ à la bibliothèque.
❏	❏	☒	2. Tu *vas* _____ voir le match au stade?
☒	❏	❏	3. Il *est allé* _____ au café hier après-midi.
☒	❏	❏	4. Lise et moi *sommes allé(e)s* _____ au ciné samedi dernier.
❏	❏	☒	5. Elles *vont aller* _____ au musée lundi prochain.
❏	☒	❏	6. Nous n' *allons* _____ pas à l'école aujourd'hui.

Nom _____

Classe _____ Date _____

B

Activité 1 C'est à voir.

Complétez les dialogues avec la forme correcte de **voir** et le nom de la chose illustrée.

1. — Qu'est-ce que tu <u>as vu</u> pendant tes vacances?

   — J' <u>ai vu</u> la <u>tour Eiffel</u> !

2. — Vous <u>voyez</u> le <u>chien</u> là-bas?

   — Oui, je le <u>vois</u> . Il est à mes nouveaux voisins.

3. — Je n'<u>ai pas vu</u> de baladeur bon marché au magasin.

   — Ah bon? Tu <u>vas voir</u> beaucoup de baladeurs au centre commercial.

Activité 2 Personne? Rien? Jamais?

Quelle expression négative utilisez-vous pour répondre aux questions suivantes? **Personne, rien** ou **jamais?** Faites des phrases complètes.

1. Qui a attendu   après l'école?

   Personne n'a attendu la fille.

2. Est-ce que tu as déjà   ?

   Non, je n'ai jamais fait de ski nautique.

3. Qu'est-ce qu'il regarde par   ?

   Il ne regarde rien.

4. Est-ce qu'il y a quelqu'un à   ?

   Non, il n'y a personne.

5. Est-ce que tu as   quelque chose?

   Non, je n'ai rien acheté.

Activité 3 Tout le monde est allé quelque part.

Entourez la forme du verbe **aller** qui convient le mieux dans chaque phrase.

1. Nous *allons aller* / *allons* / *sommes allés* au café demain.
2. Marie et Hélène *sont allées* / *vont* / *vont aller* chez leur copine hier.
3. Vous *allez aller* / *êtes allés* / *allez* être en vacances le mois prochain?
4. Je *suis allé* / *vais* / *vais aller* à Bruxelles pour rendre visite à ma tante la semaine dernière.
5. Tu *vas aller* / *es allé* / *vas* retrouver tes amis au café aujourd'hui?

Discovering
FRENCH
Nouveau!

B L A N C

Unité 2
Leçon 7

Activités pour tous TE

C

Activité 1 Ah bon? Déjà?

Répondez aux questions en utilisant **déjà** et le passé composé. Faites des phrases complètes!

1. — Est-ce que vous allez ?

   — Non, nous avons déjà fait une promenade.

2. — Est-ce que tu vas ?

   — Non, j'ai déjà mis la table.

3. — Est-ce que Steve et Natasha vont ?

   — Non, ils ont déjà dîné.

4. — Est-ce que Patricia va ?

   — Non, elle a déjà fait les courses.

Activité 2 Non . . .

Répondez aux questions de manière négative.

— Qu'est-ce que tu as regardé hier?

— Je n'ai rien regardé.

— Ah bon? Alors, qu'est-ce que tu as fait?

— Je n'ai rien fait.

— Est-ce que tu as vu Léa en ville?

— Non, je n'ai vu personne.

— Ah, bon. Et ce soir, tu vas voir des amis?

— Non, je ne vais voir personne.

Activité 3 Où ça?

Regardez les illustrations et dites où chacun est allé.

1. nous   Hier, nous sommes allées au stade.

2. Élodie   L'été dernier, Élodie est allée à Paris.

3. moi   Avant-hier, je suis allé à la piscine.

4. parents   Hier soir, mes parents sont allés au restaurant.

BLANC

LEÇON 7 Les achats de Corinne, page 120

Objectives

Communicative Functions and Topics
To talk about what one sees
To talk about the past
To identify people and things
To talk about where one went and when

Linguistic Goals
To use the verb *voir*
To use the *passé composé* of irregular verbs
To use *être* with the *passé composé* of the verb *aller*
To use *quelqu'un*, *quelque chose*, *personne*, and *rien*
To use expressions of time

Cultural Goals
To learn about the French *rendez-vous*

Motivation and Focus

❑ Have students look at the pictures on pages 120–121 and discuss where Pierre and Armelle are and what they are doing. Have students compare the weekend activities pictured with their own activities.

Presentation and Explanation

❑ *Vidéo-scène:* Do Activity 1 on page 98 of the **Video Activities** to review the previous scene. Play **Video** 1 or **DVD** 1, Counter 25:48–28:16 or **Audio** CD 2, Track 7, or read the *Vidéo-scène*, pages 120–121. Have students read the scene and list the things the friends did. Do the *Compréhension* activity on page 121 and the ADDITIONAL QUESTIONS on page 121 in the TE to check students' understanding. Do the CROSS-CULTURAL OBSERVATION activity on page 120 in the TE.

❑ *Grammar A:* Use **Overhead Transparency** 23 to present the verb *voir*. Explain verb forms in the grammar box on page 122. Model and have students repeat.

❑ *Grammar B:* Introduce irregular verb forms for the past tense, page 123. Discuss the forms in the grammar box. Model examples for students to repeat.

❑ *Grammar C:* Model expressions used to identify people and things on page 124. Introduce forms used in affirmative statements and those used in negative statements. Guide students to notice word order with the **passé composé**.

❑ *Grammar D* and *Vocabulaire:* Model the past tense of *aller* in the grammar box on page 125. Have students repeat the examples, discussing the use of *être* and the agreement of the past participle with the subject. Present the time expressions in the *Vocabulaire* box on page 126.

Guided Practice and Checking Understanding

❑ Use **Overhead Transparency** 19 to talk about where the people went using the *passé composé* of *aller*.

❑ Check listening skills with **Audio** CD 7, Tracks 14–19 or the **Audioscript** and **Workbook** Listening/Speaking Activities A–F, pages 61–62.

❑ Have students complete **Video Activities** 2–7, pages 98–102, as they watch the **Video** or listen to you read the **Videoscript**.

❑ Use the COMPREHENSION activity on page 126 in the TE to check understanding of time expressions.

Independent Practice

❏ Practice with the activities on pages 122–127. Use activities 1, 2, 4, 5, 8, and 9 for PAIR PRACTICE. Assign activities 3, 6, and 7 for homework. You may want to have students do the PERSONALIZATION activity on the bottom of page 125 in the TE.

❏ Have pairs of students choose one of the following **Communipak** activities: *Interviews* 5–8; *Tu as la parole* 3–6; *Conversations* 6, 8; *Échanges* 1–2 (pages 155–162). They may also do **Video Activities** Activity 8, page 103.

❏ Have students do any appropriate activities in **Activités pour tous**, pages 49–51.

Monitoring and Adjusting

❏ Have students do the Writing Activities on **Workbook** pages 63–66.

❏ Monitor students' work on the practice activities. Have them review the grammar and vocabulary boxes as needed. Use the TEACHING NOTES on page 124 in the TE. Explain the LANGUAGE NOTES on pages 121–126 in the TE.

Assessment

❏ Administer Quiz 7 on pages 110–111 after completing the lesson. Use the **Test Generator** to adapt the quiz questions to your class's needs.

Reteaching

❏ Reteach content and do any **Workbook** activities that students found difficult.

❏ Use the **Video** to reteach portions of the lesson.

❏ **Teacher to Teacher** page 20 can be used for practice of time expressions.

Extension and Enrichment

❏ Explain the LANGUAGE NOTE: THE IMPERFECT on page 123 in the TE.

Summary and Closure

❏ Have pairs of students develop role plays based on the questions in Activity C on **Workbook** page 66. Invite pairs to present their role plays; guide the class to summarize the communicative goals of the lesson.

❏ Do PORTFOLIO ASSESSMENT on page 127 in the TE.

End-of-Lesson Activities

❏ *À votre tour!:* Students can work with a partner to do Activity 1 on page 127, checking answers with **Audio** CD 2, Track 8. Have students write a postcard to a friend about weekend activities in Activity 2 and share them with the class.

❏ *Lecture:* Introduce the reading with the PRE-READING QUESTION, page 128 in the TE, and by reading the introduction. Students can work in groups, using logical thinking to find the answers. You may want to have students do the OBSERVATION ACTIVITY, page 129 in the TE. Assign the Reading and Culture Activities on pages 76–77 of the **Workbook**.

LEÇON 7   Les achats de Corinne, page 120

Block Scheduling (2 Days to Complete)

Objectives

Communicative Functions and Topics	To talk about what one sees
	To talk about the past
	To identify people and things
	To talk about where one went and when
Linguistic Goals	To use the verb *voir*
	To use the *passé composé* of irregular verbs
	To use *être* with the *passé composé* of the verb *aller*
	To use *quelqu'un*, *quelque chose*, *personne*, and *rien*
	To use expressions of time
Cultural Goals	To learn about the French *rendez-vous*

Block Schedule

Fun Break Postcards: Give each student a strip of paper with the name of a classmate clearly written on it. Have students write to the student named about on imaginary trip to Paris. They should write about where they went and what they saw on one side of the postcard and illustrate a tourist attraction on the other side. Students place their postcards in a class mailbox to be distributed later on in class. ◼

Day 1

Motivation and Focus

❏ Have students look at the pictures on pages 120–121 and discuss where Pierre and Armelle are and what they are doing. Have students compare the weekend activities pictured with their own activities.

Presentation and Explanation

❏ *Vidéo-scène:* Do Activity 1 on page 98 of the **Video Activities** to review the previous scene. Play **Video** 1 or **DVD** 1, Counter 25:48–28:16 or **Audio** CD 2, Track 7, or read the *Vidéo-scène*, pages 120–121. Have students read the scene and list the things the friends did. Do the *Compréhension* activity on page 121 and the ADDITIONAL QUESTIONS on page 121 in the TE to check students' understanding. Do the CROSS-CULTURAL OBSERVATION activity on page 120 in the TE.

❏ *Grammar A:* Use **Overhead Transparency** 23 to present the verb *voir*. Explain verb forms in the grammar box on page 122. Model and have students repeat.

❏ *Grammar B:* Introduce irregular verb forms for the past tense, page 123. Discuss the forms in the grammar box. Model examples for students to repeat.

❏ *Grammar C:* Model expressions used to identity people and things on page 124. Introduce forms used in affirmative statements and those used in negative statements. Guide students to notice word order with the *passé composé*.

❏ *Grammar D* and *Vocabulaire:* Model the past tense of *aller* in the grammar box on page 125. Have students repeat the examples, discussing the use of *être* and the agreement of the past participle with the subject. Present the time expressions in the *Vocabulaire* box on page 126.

Discovering
FRENCH
Nouveau!

BLANC

Unité 2
Leçon 7
Block Scheduling
Lesson Plans

Guided Practice and Checking Understanding

- ❏ Use **Overhead Transparency** 19 to talk about where the people went using the *passé composé* of *aller*.
- ❏ Check listening skills with **Audio** CD 7, Tracks 14–19 or the **Audioscript** and **Workbook** Listening/Speaking Activities A–F, pages 61–62.
- ❏ Have students complete **Video Activities** 2–7, pages 98–102, as they watch the **Video** or listen to you read the **Videoscript**.
- ❏ Use the COMPREHENSION activity on page 126 in the TE to check understanding of time expressions.

Independent Practice

- ❏ Practice with the activities on pages 122–127. Use Activities 2, 4, 5, 8, and 9 for PAIR PRACTICE. Assign activities 1, 3, 6, and 7 as written practice or homework. You may want to have students do the PERSONALIZATION activity on the bottom of page 125 in the TE.
- ❏ Have pairs of students choose one of the following **Communipak** activities: *Interviews* 5–8; *Tu as la parole* 4–6; *Conversations* 6, 8; *Échanges* 1–2 (pages 154–162). They may also do **Video Activities** Activity 8, page 103.
- ❏ Have students do any appropriate activities in **Activités pour tous**, pages 49–51.

Day 2
Motivation and Focus

- ❏ Have students do the **Block Schedule Activity** at the top of the previous page.

Monitoring and Adjusting

- ❏ Have students do the Writing Activities on **Workbook** pages 63–66.
- ❏ Review the grammar and vocabulary boxes as needed, pages 122–126. Use the TEACHING NOTES on page 124 in the TE. Explain the LANGUAGE NOTES on pages 121–126 in the TE.

Reteaching (as needed)

- ❏ Reteach content and do any **Workbook** activities that students found difficult.
- ❏ Use the **Video** to reteach portions of the lesson.
- ❏ **Teacher to Teacher** page 20 can be used for practice of time expressions.

Extension and Enrichment (as desired)

- ❏ Use **Block Scheduling Copymasters**, pages 57–64.
- ❏ For expansion activities, direct students to www.classzone.com.

Summary and Closure

- ❏ Have pairs of students develop role plays based on the questions in Writing Activity 4 on **Workbook** page 64. Invite pairs to present their role plays; guide the class to summarize the communicative goals of the lesson.
- ❏ Do PORTFOLIO ASSESSMENT on page 127 in the TE.

End-of-Lesson Activities

- ❏ *À votre tour!:* Students can work with a partner to do Activity 1 on page 127. Check answers with **Audio** CD 2, Track 8.
- ❏ *Lecture:* Introduce the reading with the PRE-READING QUESTION, page 122 in the TE, and by reading the introduction. Students can work in groups, using logical thinking to find the answers. You may want to have students do the OBSERVATION ACTIVITY, page 129 in the TE.

Assessment

- ❏ Administer Quiz 7 on pages 110–111 after completing the lesson. Use the **Test Generator** to adapt the quiz questions to your class's needs.

Nom _____

Classe _____ Date _____

Discovering
FRENCH
Nouveau!

BLANC

LEÇON 7 Vidéo-scène:
Les achats de Corinne, pages 120–121

Materials Checklist

❑ **Student Text**
❑ **Audio** CD 2, Track 7; **Audio** CD 7, Tracks 14–15
❑ **Video** 1 or **DVD** 1, Counter 25:48–28:16
❑ **Workbook**

Steps to Follow

❑ Before you watch the **Video** or **DVD**, read the questions in *Compréhension* (p. 121). They will help you understand what you see and hear.
❑ Look at the photos on pages 120–121 while you read the text. Write down any unfamiliar words or expressions. Check meanings. Listen to **Audio** CD 2, Track 7.
❑ Watch **Video** 1 or **DVD** 1, Counter 25:48–28:16. Pause and replay if necessary.
❑ Do Listening/Speaking Activities Section 1, A–B in the **Workbook** (p. 61). Use **Audio** CD 7, Tracks 14–15.
❑ Answer the questions in *Compréhension* (p. 121).

If You Don't Understand . . .

❑ Watch the **Video** or **DVD** in a quiet place. Try to stay focused. If you get lost, stop the **Video** or **DVD**. Replay it and find your place.
❑ Listen to the **CDs** in a quiet place. If you get lost, stop the **CDs**. Replay them and find your place. Try to sound like the people on the recording.
❑ On a separate sheet of paper, write down new words and expressions. Check for meaning.
❑ Say aloud anything you write. Make sure you understand everything you say.
❑ Write down any questions so that you can ask your partner or your teacher later.

Self Check

Répondez aux questions suivantes.

1. À quelle heure est-ce que Pierre est parti de chez lui?
2. Comment s'appelle le film que Pierre et Armelle ont vu?
3. Où est-ce qu'ils ont fait une promenade?
4. Est-ce que Pierre et Armelle ont aimé le film?
5. Qu'est-ce que Corinne a fait?

Answers

1. Pierre est parti de chez lui à deux heures. 2. Le filme s'appelle *L'Homme invisible*. 3. Ils ont fait une promenade en ville. 4. Pierre et Armelle ont aimé le film. 5. Corinne a fait des achats.

Nom _____

Classe _____ Date _____

Discovering
FRENCH
Nouveau!

B L A N C

Unité 2
Leçon 7

Absent Student Copymasters

A. Le verbe *voir,* page 122

Materials Checklist

❑ **Student Text**
❑ **Audio** CD 7, Track 16
❑ **Workbook**

Steps to Follow

❑ Study *Le verbe voir* (p. 122). Say the model sentences aloud. Check meanings.
❑ Do Listening/Speaking Activities Section 2, Activity C in the **Workbook** (p. 61). Use **Audio** CD 7, Track 16.
❑ Do Activity 1 in the text (p. 122). Write complete sentences and circle the verb in each one.
❑ Do Activity 2 in the text (p. 122). Write your answers on a separate sheet of paper. Read them aloud.
❑ Do Writing Activity A 1 in the **Workbook** (p. 63).

If You Don't Understand . . .

❑ Listen to the **CD** in a quiet place. Try to stay focused. If you get lost, stop the **CD**. Replay it and find your place.
❑ Reread activity directions. Put the directions in your own words.
❑ Read the model several times. Be sure you understand it.
❑ Say aloud everything that you write. Be sure you understand what you are saying.
❑ When writing a sentence, ask yourself, "What do I mean? What am I trying to say?"
❑ Write down any questions so that you can ask your partner or your teacher later.

Self Check

Faites des phrases d'après le modèle. Soyez logique.

▶ le week-end / je / voir / mes parents
Le week-end je vois mes parents.

1. aujourd'hui / nous / voir / un film français
2. vous / voir / des sculptures / au musée
3. je / voir / des éléphants / au parc zoologique
4. tu / voir / des avions / à l'aéroport
5. ils / voir / un film d'aventures / au cinéma Caspar
6. elle / voir / une jolie robe / au boutique Alisa

Answers

Nom _____

Classe _____ Date _____

Discovering
FRENCH
Nouveau!

B L A N C

B. Quelques participes passés irréguliers, page 123

Materials Checklist

❑ **Student Text**
❑ **Audio** CD 7, Track 17
❑ **Workbook**

Steps to Follow

❑ Study *Quelques participes passés irréguliers* (p. 123). Copy the model sentences. Circle the past participle in each sentence. Say each sentence aloud.
❑ Do Listening/Speaking Activities Section 2, Activity D in the **Workbook** (p. 62). Use **Audio** CD 7, Track 17.
❑ Do Activity 3 in the text (p. 123). Write the answers in complete sentences. Underline the **passé composé** in each sentence. Circle the past participle.
❑ Do Activity 4 in the text. Write the questions and answers for each dialogue. Underline the **passé composé** in your answers. Read the dialogues aloud.
❑ Do Writing Activities B 2–3 in the **Workbook** (pp. 63–64).

If You Don't Understand . . .

❑ Listen to the **CD** in a quiet place. Try to stay focused. If you get lost, stop the **CD**. Replay it and find your place.
❑ Reread activity directions. Put the directions in your own words.
❑ Read the model several times. Be sure you understand it.
❑ Say aloud everything that you write. Be sure you understand what you are saying.
❑ When writing a sentence, ask yourself, "What do I mean? What am I trying to say?"
❑ Write down any questions so that you can ask your partner or your teacher later.

Self Check

Répondez aux questions suivantes d'après le modèle.

▶ Quand est-ce que tu as été à l'hôpital? (la semaine dernière)
  J'ai été à l'hôpital la semaine dernière.

1. Est-ce qu'il a vu le film? (non)
2. Où avez-vous pris ces photos? (à Paris)
3. À quelle heure est-ce qu'ils ont mis la table? (à 7 heures)
4. A-t-elle fait ses devoirs? (non)
5. Est-ce qu'elles ont eu le temps d'aller au musée? (oui)
6. Est-ce qu'il y a eu un bon film à la télé? (non)

Answers

1. Non, il n'a pas vu le film. 2. J'ai pris / nous avons pris ces photos à Paris. 3. Ils ont mis la table à 7 heures. 4. Non, elle n'a pas fait ses devoirs. 5. Oui, elles ont eu le temps d'aller au musée. 6. Non, il n'y a pas eu de bon film à la télé.

Nom _____

Classe _____ Date _____

Discovering FRENCH *Nouveau!*

B L A N C

Unité 2
Leçon 7

Absent Student Copymasters

C. *Quelqu'un, quelque chose* et leurs contraires, page 124

Materials Checklist

❑ **Student Text**
❑ **Workbook**

Steps to Follow

❑ Study ***Quelqu'un, quelque chose*** *et leurs contraires* (p. 124). Copy the model sentences. Say them aloud. Circle **quelqu'un**, **quelque chose** and their antonyms (opposites).
❑ Do Activity 5 in the text (p. 124). Write the questions and answers for both speakers in complete sentences. Read the questions and answers aloud.
❑ Do Writing Activity C 4 in the **Workbook** (p. 64).

If You Don't Understand . . .

❑ Reread activity directions. Put the directions in your own words.
❑ Read the model several times. Be sure you understand it.
❑ Say aloud everything that you write. Be sure you understand what you are saying.
❑ When writing a sentence, ask yourself, "What do I mean? What am I trying to say?"
❑ Write down any questions so that you can ask your partner or your teacher later.

Self Check

Répondez aux questions d'après le modèle.

▶ Avez-vous vu quelqu'un au café? (je / non)
Je n'ai vu personne.

1. As-tu pris quelque chose? (je / non)
2. Avez-vous fait quelque chose la semaine dernière? (nous / oui)
3. A-t-elle invité quelqu'un au cinéma? (elle / non)
4. Ont-ils fait quelque chose samedi dernier? (ils / non)
5. Est-ce qu'elles ont fait une promenade avec quelqu'un? (elles / non)

Answers

1. Non, je n'ai rien pris. 2. Non, nous avons rien fait. 3. Elle n'a invité personne. 4. Ils n'ont rien fait samedi dernier. 5. Elles n'ont fait une promenade avec personne.

Nom _____

Classe _____ Date _____

Unité 2
Leçon 7

Absent Student Copymasters

Discovering
FRENCH
Nouveau!

BLANC

D. Le passé composé du verbe *aller,* pages 125–127

Materials Checklist

❑ **Student Text**
❑ **Audio** CD 2, Track 8; **Audio** CD 7, Tracks 18–19
❑ **Workbook**

Steps to Follow

❑ Study *Le passé composé du verbe **aller*** (p. 125). Copy the model sentences. Say them aloud. Note the endings of the past participle.
❑ Do Listening/Speaking Activities Section 2 Activities E–F in the **Workbook** (p. 62). Use **Audio** CD 7, Tracks 18–19.
❑ Do Activities 6 and 7 in the text (pp. 125–126). Write the answers in complete sentences on a separate sheet of paper. Circle the **passé composé** in each answer. Check the past participle endings. Read the answers aloud.
❑ Study *Vocabulaire: Quelques expressions de temps* (p. 126).
❑ Do Activities 8 and 9 in the text (pp. 126–127). Write the questions and the answers for both speakers. Circle the time expression in each sentence. Underline the verbs. Read the questions and answers aloud.
❑ Do Writing Activities D 5, B/D 6, and 7 in the **Workbook** (pp. 64–65).
❑ Do Activity 1 of *À votre tour* in the text (p. 127). Use **Audio** CD 2, Track 8.

If You Don't Understand . . .

❑ Listen to the **CDs** in a quiet place. Try to stay focused. If you get lost, stop the **CDs**. Replay them and find your place.
❑ Reread activity directions. Put the directions in your own words.
❑ Read the model several times. Be sure you understand it.
❑ Say aloud everything that you write. Be sure you understand what you are saying.
❑ When writing a sentence, ask yourself, "What do I mean? What am I trying to say?"
❑ Write down any questions so that you can ask your partner or your teacher later.

Self Check

Écrivez des phrases complètes d'après le modèle.

▶ ce matin / je (f.) / aller / au café
Ce matin je suis allée au café.

1. demain / nous / préparer l'examen
2. hier / vous (*m.*) / aller / en ville
3. aujourd'hui / il / aller / à la campagne.
4. hier soir / elle / aller / au cinéma
5. la semaine prochaine / je / prendre l'avion
6. l'été dernier / ils / aller / en France

Answers

1. Demain nous allons préparer l'examen. 2. Hier vous êtes allés en ville. 3. Aujourd'hui il va à la campagne. 4. Hier soir elle est allée au cinéma. 5. La semaine prochaine je vais prendre l'avion. 6. L'été dernier ils sont allés en France.

Nom _____

Classe _____ Date _____

Discovering
FRENCH
Nouveau!

B L A N C

Unité 2
Leçon 7

Family Involvement

LEÇON 7 Les achats de Corinne

Le week-end dernier

Ask a family member where he or she went last weekend. Choose from among the following choices.

- First, explain your assignment.

- Next, help the family member pronounce the words. Model the pronunciation as you point to each picture.

- Then, ask the question, **Où es-tu allé(e) le week-end dernier?**

- Once you have an answer, write a sentence saying where he or she went. Pay attention to the past participle.

au supermarché

au cinéma

au musée

au restaurant

_____ **est allé(e)** _____.

Discovering
FRENCH
Nouveau!

B L A N C

Nom _____

Classe _____ Date _____ _____

Le cinéma

Find out when a family member last saw a good movie.

- First, explain your assignment.

- Next, help the family member pronounce the words. Model the pronunciation as you point to each word. Give English equivalents if necessary.

- Then, ask the question, **Quand as-tu vu un bon film?**

- When you have an answer, complete the sentence below.

> **aujourd'hui**
>
> **hier**
>
> **le week-end dernier**
>
> **le mois dernier**
>
> **l'année dernière**

_____ **a vu un bon film** _____ .

LEÇON 7 Les achats de Corinne

Cultural Commentary

🌐 While waiting to buy tickets, movie-goers in France must line up in front of the ticket window **(le guichet)**. The French expression "to line up" is **faire la queue**, from which the British derive "to queue up."

🌐 Most French cinemas show films at different times throughout the day. An afternoon show is called **une matinée** and an evening film is called **une soirée**.

🌐 While **crêperies** are most predominant in Brittany and Normandy, they can be found in cities and villages throughout France. Paper-thin **crêpes** *(French pancakes)* may be eaten as a main course or for dessert. Dessert **crêpes** are offered with a wide choice of flavorings and toppings.

🌐 The bus system provides **les Annéciens** with an economic and efficient means of transportation. Corinne and Armelle catch the bus at the **Centre Bonlieu** city center/shopping mall.

Grammar Correlation

A Le verbe *voir* (Student text, p. 122)

Corinne: Eh bien, tu **vois**, j'ai fait des achats.

B Quelques participes passés irréguliers (Student text, p. 123)

Claire: Là, ils **ont vu** «L'Homme Invisible».
Armelle: Et toi, qu'est-ce que tu **as fait**?
Claire: Corinne et Armelle **ont pris** le bus.
Pierre: Tu sais bien que j'**ai eu** la meilleure note de la classe. (Leçon 8)

C *Quelqu'un, quelque chose* et leurs contraires
(Student text, p. 124)

Corinne: J'ai acheté **quelque chose** de marrant!
Claire: Corinne a donné **quelque chose** à Pierre. (Leçon 8)

D Le passé composé du verbe *aller* (Student text, p. 125)

Claire: Pierre **est allé** à un rendez-vous avec Armelle.
        Puis ils **sont allés** au cinéma.
Pierre: Nous **sommes allés** au ciné.
        Je **suis allé** au ciné avec Armelle. (Leçon 8)
M. Duval: Tu **es allé** au cinéma? (Leçon 8)

Nom _____

Classe _____ Date _____

LEÇON 7 Les achats de Corinne

Activité 1. Tu te rappelles?

Do you remember what happened in the last episode? Before watching the next video scene, complete the sentences below with the appropriate words.

Nous sommes _____ aujourd'hui. Pierre a rendez-vous avec

_____. Les deux copains vont aller _____.

☑ *Vérifie vos réponses:* samedi, Armelle, au cinéma

Activité 2. Dans l'ordre, s'il te plaît!

Counter 25:56–26:57

What did Pierre and Armelle do on their afternoon out? Starting with 1 and ending with 6, number their activities as you watch the video.

Samedi dernier, Pierre est allé à un rendez-vous avec Armelle. Il est parti de chez lui à deux heures.

a _____ Ils ont vu Corinne.

b. _____ Ils ont fait une promenade dans la Vieille Ville.

c. _____ Pierre a retrouvé Armelle.

d. _____ Ils sont allés dans un café.

e. _____ Ils ont vu «L'Homme Invisible».

f. _____ Ils sont allés au cinéma.

Discovering
FRENCH
Nouveau!

B L A N C

Activité 3. Au café

Counter 26:58–28:16

Now, Pierre and Armelle meet Corinne at the café. What happens there? As you watch the video, circle the letter of the correct completion in the sentences below.

1. Pierre et Armelle sont allés _____.
   a. au concert   b. au cinéma   c. à la discothèque

2. Ils ont vu _____.
   a. «Le Retour de Batman»   b. «L'Homme Invisible»   c. «Superman VI»

3. Corinne a vu le même *(same)* film _____.
   a. le week-end dernier   b. hier soir   c. la semaine dernière

4. Corinne a _____.
   a. fait une promenade   b. fait des achats   c. fait du volley

5. Elle a acheté _____.
   a. des basket   b. un short   c. un tee-shirt

6. Corinne a aussi acheté _____.
   a. des cartes postales   b. des magazines   c. des CD

7. Le crocodile est _____.
   a. marrant   b. marron   c. méchant

8. Les trois copains sont rentrés chez eux vers _____.
   a. sept heures   b. sept heures et demie   c. six heures

9. Corinne et Armelle ont pris _____.
   a. le métro   b. un taxi   c. le bus

10. Pierre est rentré chez lui _____.
   a. à scooter   b. en voiture   c. à pied

URB
p. 99

Discovering
FRENCH
Nouveau!

B L A N C

Activité 4. Tu es écrivain

When you finish watching the video, return to this activity. Now it's your turn to edit! Using your answers from Activity 2, write a summary of Pierre and Armelle's activities. In order to make your writing clear and easy to follow, add transition words from the box at the beginning of your sentences. (*Note:* Items may be used more than once and not all sentences will require transition words.)

après le film	là	ensuite	puis

Pierre a retrouvé Armelle. Puis _____

_____

_____

_____

_____

▶ **EXPRESSION POUR LA CONVERSATION: C'est pas mal!**
                                       C'est marrant!

A. What was Pierre voicing when he used the above expressions?

[ ] Approval   [ ] Disapproval

B. What might you say in English in similar situations?

_____ *

Activité 5. C'est marrant!

Together with a classmate, prepare a short conversation in which you talk about something good that happened in the past. Try to continue the conversation by asking for details (**quand ça? avec qui? quel...?, etc.**).

TOI:

TON/TA CAMARADE:

C'est pas mal!

TON/TA CAMARADE:

TOI:

C'est marrant!

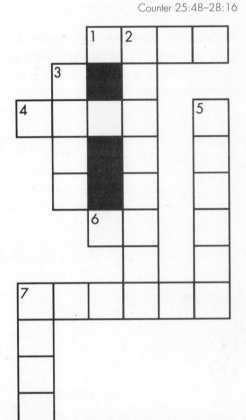

Activité 6. Un puzzle

Counter 25:48–28:16

Now, summarize our friends' activities by filling in the missing words in the puzzle. (*Notes:* Use capital letters and omit the accent marks! All the answers are past participles.)

Horizontalement

1. Corinne et Armelle ont ___ le bus.
4. Corinne a ___ des achats.
6. Pierre et Armelle ont ___ «L'Homme Invisible».
7. Corinne a ___ un tee-shirt et des magazines.

Verticalement

2. Pierre a ___ Armelle.
3. Après le film, ils ont ___ une promenade dans la Vieille Ville.
5. Pierre est ___ chez lui à pied.
7. Samedi dernier, Pierre est ___ à un rendez-vous avec Armelle.

▶ Tu as remarqué?

For some verbs (such as **aller** and **rentrer**), the passé composé is formed as follows:

> PRESENT of **être** + PAST PARTICIPLE

Pierre **est allé** à un rendez-vous.
Il **est rentré** chez lui à pied.

These are verbs of *coming* or *going*. You will learn other **être** verbs in Leçon 8.

Nom _____

Classe _____ Date _____

Discovering
FRENCH
Nouveau!
B L A N C

Activité 7. Le bon verbe

Which verb correctly completes the following sentences—**avoir** or **être**? Write the correct form of the verb you choose in the sentences below.

1. Pierre _____ retrouvé Armelle.

2. Ils _____ vu «L'Homme Invisible» au cinéma.

3. Après le film, ils _____ fait une promenade dans la Vieille Ville.

4. Ensuite, ils _____ allés dans un café.

5. Pierre _____ rentré chez lui à pied.

Activité 8. Le week-end dernier

To find out what your classmates did last weekend, ask questions from the game card below. Walk around the classroom and find a total of *nine people who did one of the activities listed.* As you go, have your classmates sign their name in the appropriate square. The first student to hand in the completed card to the teacher is the winner. *You must ask and answer all questions in French!* (*Note:* The **être** verbs are marked with an asterisk.) Your teacher will start the activity with «**À vos marques, prêtes, partez!**» Follow the model.

TOI: Éric, tu as joué au volley?　　　**ÉRIC:** Oui, j'ai joué au volley.

(Non, je n'ai pas joué au volley.)

jouer au volley? *Éric*

faire une promenade?	**acheter un magazine?**	**faire des achats?**
aller* dans un fast-food?	**prendre un sandwich?**	**voir un film?**
ranger sa chambre?	**téléphoner à un copain/ une copine?**	**rentrer* avant minuit?**

LEÇON 7 Vidéo-scène: Les achats de Corinne

Video 1, DVD 1

25:48–28:16

Counter 25:56–26:29 1. CLAIRE: Samedi dernier, Pierre est allé à un rendez-vous avec Armelle. Il est parti de chez lui à deux heures. Pierre a retrouvé Armelle. Puis ils sont allés au cinéma. Là, ils ont vu «L'Homme Invisible».

PIERRE: Je vous remercie bien, au revoir.

Counter 26:30–26:57 2. Après le film, ils ont fait une promenade dans la vieille ville. Ensuite, ils sont allés dans un café. Là, ils ont vu Corinne.

Counter 26:58–27:04 3. CORINNE: D'où venez-vous comme ça?

PIERRE: Nous sommes allés au ciné.

CORINNE: Qu'est-ce que vous avez vu?

PIERRE: «L'Homme Invisible».

Counter 27:05–27:14 4. CORINNE: Moi, je l'ai vu la semaine dernière. C'est super, hein?

PIERRE: Oui, c'est pas mal!

ARMELLE: Et toi, qu'est-ce que tu as fait?

CORINNE: Eh bien, tu vois, j'ai fait des achats.

Counter 27:15–27:38 5. ARMELLE: Qu'est-ce que tu as acheté?

CORINNE: Ben, tu vois, j'ai acheté un tee-shirt. J'ai aussi acheté des magazines. Ah, tiens, j'ai acheté quelque chose de marrant!

PIERRE: Qu'est-ce que c'est?

CORINNE: C'est un crocodile!

Counter 27:39–27:52 6. PIERRE: C'est vrai, c'est marrant!

CORINNE: Tu le veux? Je te le donne.

Counter 27:53–28:02 7. CLAIRE: Vers sept heures, Pierre, Armelle et Corinne sont rentrés chez eux.

PIERRE: Au revoir.

CORINNE: Salut.

ARMELLE: Salut.

Counter 28:03–28:16 8. CLAIRE: Corinne et Armelle ont pris le bus. Pierre est rentré chez lui à pied.

Discovering
FRENCH
Nouveau!

BLANC

Unité 2
Leçon 7

Audioscripts

LEÇON 7   Les achats de Corinne

PE AUDIO

CD 2, Track 7
Vidéo-scène, p. 120

CLAIRE: Samedi dernier, Pierre est allé à un rendez-vous avec Armelle. Il est parti de chez lui à deux heures.

Pierre a retrouvé Armelle. Puis ils sont allés au cinéma. Là, ils ont vu *L'Homme Invisible.*

Après le film, ils ont fait une promenade en ville.

Ensuite, ils sont allés dans un café. Là, ils ont vu Corinne.

Au café, les trois amis parlent de leurs activités.

PIERRE: Ça va?

CORINNE: D'où venez-vous comme ça?

PIERRE: Nous sommes allés au ciné.

CORINNE: Qu'est-ce que vous avez vu?

PIERRE: *L'Homme Invisible.*

CORINNE: Moi, je l'ai vu la semaine dernière. C'est super, hein?

PIERRE: Oui, c'est pas mal!

ARMELLE: Et toi, qu'est-ce que tu as fait?

CORINNE: Eh bien, tu vois, j'ai fait des achats.

ARMELLE: Qu'est-ce que tu as acheté?

CORINNE: Ben, tu vois, j'ai acheté un tee-shirt … J'ai aussi acheté des magazines … Ah, tiens … j'ai acheté quelque chose de marrant!

PIERRE: Qu'est-ce que c'est?

CORINNE: C'est un crocodile!

PIERRE: C'est vrai, c'est marrant!

CORINNE: Tu le veux? Je te le donne.

CLAIRE: Pierre a accepté le cadeau de sa cousine. Puis, vers sept heures, Pierre, Armelle et Corinne sont rentrés chez eux. Corinne et Armelle ont pris le bus. Pierre est rentré chez lui à pied.

À votre tour!

CD 2, Track 8
1. Situation: Au cinéma, p. 127

Le week-end dernier, Sandrine est allée au cinéma avec un copain. Jean-Jacques veut savoir ce qu'ils ont fait.

JEAN-JACQUES: Dis, Sandrine, avec qui est-ce que tu es allée au cinéma?

SANDRINE: Avec mon cousin Bernard.

JEAN-JACQUES: À quel ciné êtes-vous allés?

SANDRINE: Au Studio Saint-Germain.

JEAN-JACQUES: Quel film est-ce que vous avez vu?

SANDRINE: Nous avons vu «Roxanne». C'est une comédie américaine.

JEAN-JACQUES: Et qu'est-ce que vous avez fait après le film?

SANDRINE: Nous sommes allés dans un restaurant.

JEAN-JACQUES: Qu'est-ce que vous avez mangé?

SANDRINE: Moi, j'ai mangé une pizza et Bernard a mangé un hamburger avec des frites.

WORKBOOK AUDIO

Section 1. Vidéo-scène

CD 7, Track 14

Activité A. Compréhension générale, p. 120

Allez à la page 120 de votre texte.

CLAIRE: Samedi dernier, Pierre est allé à un rendez-vous avec Armelle. Il est parti de chez lui à deux heures.

Pierre a retrouvé Armelle. Puis ils sont allés au cinéma. Là, ils ont vu *L'Homme Invisible.*

Après le film, ils ont fait une promenade en ville.

Ensuite, ils sont allés dans un café. Là, ils ont vu Corinne.

Au café, les trois amis parlent de leurs activités.

PIERRE: Ça va?

CORINNE: D'où venez-vous comme ça?

PIERRE: Nous sommes allés au ciné.

CORINNE: Qu'est-ce que vous avez vu?

PIERRE: *L'Homme Invisible.*

CORINNE: Moi, je l'ai vu la semaine dernière. C'est super, hein?

PIERRE: Oui, c'est pas mal!

ARMELLE: Et toi, qu'est-ce que tu as fait?

CORINNE: Eh bien, tu vois, j'ai fait des achats.

ARMELLE: Qu'est-ce que tu as acheté?

CORINNE: Ben, tu vois, j'ai acheté un tee-shirt ... J'ai aussi acheté des magazines ... Ah, tiens ... j'ai acheté quelque chose de marrant!

PIERRE: Qu'est-ce que c'est?

CORINNE: C'est un crocodile!

PIERRE: C'est vrai, c'est marrant!

CORINNE: Tu le veux? Je te le donne.

CLAIRE: Pierre a accepté le cadeau de sa cousine. Puis, vers sept heures, Pierre, Armelle et Corinne sont rentrés chez eux. Corinne et Armelle ont pris le bus. Pierre est rentré chez lui à pied.

CD 7, Track 15

Activité B. Avez-vous compris?

Maintenant ouvrez votre cahier d'activités. Écoutez bien et indiquez si les phrases suivantes sont vraies ou fausses. Vous allez entendre chaque phrase deux fois. Êtes-vous prêts?

1. Pierre et Armelle sont allés au ciné. #
2. Ils ont vu *L'Homme Invisible.* #
3. Corinne va voir le film demain. #
4. Corinne a acheté un tee-shirt et des magazines. #
5. Corinne a aussi acheté un éléphant. # #
6. Corinne donne le crocodile à Armelle. #

Maintenant, corrigez vos réponses.

1. Pierre et Armelle sont allés au ciné. Vrai.
2. Ils ont vu *L'Homme Invisible.* Vrai.
3. Corinne va voir le film demain. Faux. Elle a vu le film la semaine dernière.
4. Corinne a acheté un tee-shirt et des magazines. Vrai.
5. Elle a aussi acheté un éléphant. Faux. Elle a acheté un crocodile.
6. Corinne donne le crocodile à Armelle. Faux. Elle le donne à Pierre.

Section 2. Langue et communication

CD 7, Track 16
Activité C. À la campagne

Alain and his cousins are visiting their grandparents' farm in the country. The drawing in your workbook shows what each one is seeing. Listen carefully to each description and circle the correct completion.

Modèle: Alain voit une vache dans les champs.
You should have circled the first word, **une vache.**

1. Vous voyez un écureuil dans l'arbre. #
2. Je vois un lapin dans la forêt. #
3. Nous voyons un poisson dans la rivière. #
4. Tu vois des chevaux dans la prairie. #
5. Jérôme et Juliette voient des canards sur le lac. #
6. Sylvie voit un cochon près de la ferme. #

Now listen again. This time you will hear the wrong information. Correct the speaker according to the answers in your workbook.

Modèle: Alain voit un cheval dans les champs.
Non, Alain voit une vache.

1. Vous voyez un oiseau dans l'arbre. Non, vous voyez un écureuil.
2. Je vois une poule dans la forêt. Non, je vois un lapin.
3. Nous voyons un canard dans la rivière. Non, nous voyons un poisson.
4. Tu vois des fleurs dans la prairie. Non, tu vois des chevaux.
5. Jérôme et Juliette voient des poissons dans le lac. Non, Jérôme et Juliette voient des canards.
6. Sylvie voit une poule près de la ferme. Non, Sylvie voit un cochon.

CD 7, Track 17
Activité D. Hier après-midi

Look at the four drawings in your workbook. You will hear what various students did yesterday afternoon. Select the corresponding scene and check the appropriate box.

Modèle: Elle a été à la plage.
You would mark D.

1. Elle a mis la table. #
2. Elle a pris un bain de soleil. #
3. Elle a eu la grippe. #
4. Elle a fait ses devoirs. #
5. Elle a vu un film à la télé. #
6. Elle a compris la leçon. #
7. Elle a promis d'aider sa mère. #

Now check your work. Vérifiez vos réponses. You should have marked: 1–B, 2–D, 3–A, 4–C, 5–A, 6–C, and 7–B.

CD 7, Track 18

Activité E. Le week-end dernier

Listen carefully to what each of the following people did last weekend. Then say where they went.

au café?   à la piscine?   au stade?

au ciné?   en ville?

à la bibliothèque?

Modèle: Marc a mangé une glace.
           Il est allé au café.

1. Nous avons vu un film. #
   Nous sommes allés au ciné.

2. Vous avez nagé. #
   Vous êtes allé à la piscine.

3. J'ai assisté à un match de foot. #
   Je suis allé au stade.

4. Cécile a fait des achats. #
   Elle est allée en ville.

5. Tu as cherché des livres. #
   Tu es allé à la bibliothèque.

6. Jean-Michel et Julie ont fait une promenade sur les Champs-Élysées. #
   Ils sont allés en ville.

CD 7, Track 19

Activité F. Mon calendrier

Aujourd'hui nous sommes jeudi, le treize juillet. Regardez le calendrier dans votre cahier d'activités et répondez aux questions.

First we will talk about your plans. D'abord nous allons parler de vos projets.

Modèle: Qu'est-ce que tu vas faire cet après-midi?
           Cet après-midi, je vais nettoyer ma chambre.

1. Qu'est-ce que tu vas faire ce soir? #
   Ce soir je vais retrouver mes amis au café.

2. Qu'est-ce que tu vas faire vendredi après-midi? #
   Vendredi après-midi je vais aller à la pêche.

3. Qu'est-ce que tu vas faire le week-end prochain? #
   Le week-end prochain, je vais faire une randonnée à vélo.

Now let's talk about what you did recently. Maintenant nous allons parler de ce que vous avez fait récemment.

Modèle: Qu'est-ce que tu as fait hier matin?
           Hier matin j'ai lavé la voiture.

4. Qu'est-ce que tu as fait hier après-midi? #
   Hier après-midi, je suis allé(e) à un match de foot.

5. Qu'est-ce que tu as fait hier soir? #
   Hier soir j'ai vu un film à la télé.

6. Qu'est-ce que tu as fait lundi dernier? #
   Lundi dernier j'ai assisté à un concert de rock.

Copyright © by McDougal Littell, a division of Houghton Mifflin Company.

Discovering
FRENCH
Nouveau!

BLANC

Unité 2
Leçon 7

Audioscripts

LESSON 7 QUIZ

Part I: Listening

CD 16, Track 3

A. Conversations

You will hear a series of short conversations. These conversations are incomplete. Select the most logical CONTINUATION of each conversation and circle the corresponding letter: a, b, or c. You will hear each conversation twice.

Écoutez.

Conversation 1. Marc et Catherine sont au café.

MARC: Tu es allée en ville cet après-midi?

CATHERINE: Oui, j'ai rendu visite à une copine.

MARC: Comment es-tu allée chez elle?

Conversation 2. Madame Moreau parle a son mari.

MME MOREAU: Quand est-ce qu'on va dîner?

M. MOREAU: Dans dix minutes!

MME MOREAU: Dans dix minutes? Pourquoi pas maintenant?

Conversation 3. Pauline parle à son frère Jean-François.

PAULINE: Où es-tu allé cet après-midi?

JEAN-FRANÇOIS: Je suis allé au café.

PAULINE: Tu as rencontré tes copains?

Conversation 4. Jérôme téléphone à Juliette.

JÉRÔME: Qu'est-ce que tu fais samedi soir?

JULIETTE: Je ne fais rien de spécial.

JÉRÔME: Tu veux aller au ciné avec moi?

Conversation 5. Il est midi. Thomas et Christine sont au restaurant.

THOMAS: J'ai téléphoné à Jean-Paul . . .

CHRISTINE: Tiens, moi, j'ai vu sa soeur.

THOMAS: Quand?

Conversation 6. Nicolas et Véronique parlent des vacances.

NICOLAS: Qu'est-ce que tu as fait pendant les vacances?

VÉRONIQUE: Je suis allée à Montréal.

NICOLAS: Tiens! Moi, je vais aller là-bas avec mes parents.

VÉRONIQUE: Quand?

Discovering
FRENCH
Nouveau!

B L A N C

QUIZ 7

Part I: Listening

A. Conversations (30 points: 5 points each)

You will hear a series of short conversations. These conversations are incomplete. Select the most logical CONTINUATION of each conversation and circle the corresponding letter: a, b, or c.

Conversation 1. Marc et Catherine sont au café.
    a. J'ai vu ma copine à deux heures.
    b. J'ai pris le bus.
    c. Nous avons fait des achats.

Conversation 2. Madame Moreau parle à son mari.
    a. Je n'ai pas faim.
    b. J'ai déjà diné.
    c. Je n'ai pas mis la table.

Conversation 3. Pauline parle à son frère Jean-François.
    a. Oui, j'ai vu un bon film.
    b. Non, j'ai mangé un sandwich.
    c. Non, je n'ai vu personne.

Conversation 4. Jérôme téléphone à Juliette.
    a. Oui, d'accord.
    b. Oui, j'ai un rendez-vous avec un copain.
    c. Oui, j'ai fait quelque chose d'intéressant.

Conversation 5. Il est midi. Thomas et Christine sont au restaurant.
    a. Ce soir.
    b. Hier soir.
    c. La semaine prochaine.

Conversation 6. Nicolas et Véronique parlent des vacances.
    a. L'été prochain.
    b. L'été dernier.
    c. Hier matin.

Nom _____

Classe _____ Date _____ _____

Discovering FRENCH *Nouveau!*

B L A N C

Part II: Writing

B. Où sont-ils allés? Qu'est-ce qu'ils ont fait? (30 points: 3 points each)

Describe where the following people went and what they did there. Complete the sentences below with the PASSÉ COMPOSÉ of the verbs in parentheses.

1. (aller)   Éric et Mathieu _____ au cinéma.

   (voir)   Ils _____ un western.

2. (aller)   Léa et Céline _____ à la campagne.

   (faire)   Elles _____ une promenade à vélo.

3. (aller)   M. Lacour _____ à Québec.

   (prendre)   Il _____ des photos de la Citadelle.

4. (aller)   Mlle Beaumont _____ dans le salon.

   (mettre)   Elle _____ la télé.

5. (aller)   Les journalistes _____ à la Maison Blanche.

   (avoir)   Ils _____ une interview avec le président.

C. Non! (20 points: 5 points each)

Complete the following mini-dialogues using the appropriate NEGATIVE expressions.

1. —Tu vois quelque chose?

   —Non, je _____.

2. —Tu attends quelqu'un?

   —Non, je _____.

3. —Tu as fait quelque chose?

   —Non, je _____.

4. —Tu as invité quelqu'un?

   —Non, je _____.

D. Expression personnelle (20 points: 5 points each)

Describe the last time you went to the movies. Use the PASSÉ COMPOSÉ.

Mention . . .

- when you last went to the movies (and with whom)

- what movie you saw

- whether you liked the film

- what you did afterwards

Nom _____

Classe _____ Date _____

Discovering
FRENCH
Nouveau!
BLANC

Unité 2
Leçon 8
Workbook TE

LEÇON 8 Tu es sorti?

LISTENING/SPEAKING ACTIVITIES

Section 1. Vidéo-scène

A. Compréhension générale

 Allez á la page 130 de votre texte.
Écoutez.

B. Avez-vous compris?

	vrai	faux
1.	☑	☐
2.	☐	☑
3.	☑	☐
4.	☐	☑
5.	☑	☐
6.	☑	☐

Section 2. Langue et communication

C. Nous partons

▶ A. —Marie part à midi.
   —**Oui, elle part à midi.**

Marie

▶ B. —Vous partez à deux heures.
   —**Non, vous partez à trois heures.**

VOUS

1. moi	2. nous	3. Pauline	4. vous	5. toi	6. mes cousins
1. Oui, je pars à neuf heures.	2. Non, nous partons à sept heures.	3. Oui, elle part à six heures et demie.	4. Oui, vous partez à miniut.	5. Non, tu pars à dix heures et quart.	6. Oui, ils partent à cinq heures dix.

Nom _____

Classe _____ Date _____

D. Le lièvre et la tortue

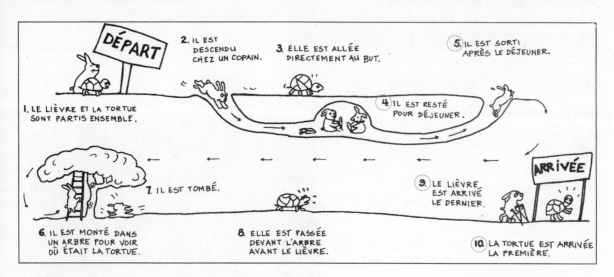

2. IL EST DESCENDU CHEZ UN COPAIN.
3. ELLE EST ALLÉE DIRECTEMENT AU BUT.
5. IL EST SORTI APRÈS LE DÉJEUNER.
1. LE LIÈVRE ET LA TORTUE SONT PARTIS ENSEMBLE.
4. IL EST RESTÉ POUR DÉJEUNER.
7. IL EST TOMBÉ.
6. IL EST MONTÉ DANS UN ARBRE POUR VOIR OÙ ÉTAIT LA TORTUE.
8. ELLE EST PASSÉE DEVANT L'ARBRE AVANT LE LIÈVRE.
9. LE LIÈVRE EST ARRIVÉ LE DERNIER.
10. LA TORTUE EST ARRIVÉE LA PREMIÈRE.

E. Activités

	1	2	3	4	5	6	7	8	9	10	11	12
vrai	✓	✓		✓	✓		✓			✓		✓
faux			✓			✓		✓	✓		✓	

F. Week-end à Paris

▶ PIERRE: Est-ce que tu as passé le week-end à Paris?
   VOUS: **Oui, j'ai passé le week-end a Paris.**

1. Oui, je suis arrivé(e) vendredi soir.
2. Oui, j'ai visité la Tour Eiffel.
3. Oui, je suis passé(e) par l'Arc de Triomphe.
4. Oui, j'ai fait une promenade sur les Champs Élysées.

▶ PIERRE: Est-ce que tu es resté(e) à l'hôtel?
   VOUS: **Non, je ne suis pas resté(e) à l'hôtel.**

5. Non, je n'ai pas visité le Centre Pompidou.
6. Non, je n'ai pas vu les Invalides.
7. Non, je ne suis pas passé(e) par Notre Dame.
8. Non, je ne suis pas allé(e) à l'Opéra.

Nom _____

Classe _____ Date _____

Discovering
FRENCH *Nouveau!*
B L A N C

Unité 2
Leçon 8

Workbook TE

WRITING ACTIVITIES

A 1. Oui ou non?

Say what the following people are doing or not doing, using the PRESENT TENSE of the verbs in parentheses.

1. (sortir)

   • Ce soir, nous étudions. Nous *ne sortons pas* _____.

   • Pierre reste à la maison. Il *ne sort pas* _____.

   • Véronique et Pierre vont au cinéma. Ils *sortent* _____.

2. (partir)

   • Cet été vous allez faire un voyage. Vous *partez* _____ en vacances.

   • Je vais travailler. Je *pars (ne pars pas)* _____.

3. (dormir)

   • Tu n'as pas de problèmes. Tu *dors* _____ très bien.

   • Vous n'avez pas sommeil. Vous *ne dormez pas* _____.

   • Éric regarde la téle. Il *ne dort pas* _____.

B 2. Détective

You are working as a detective. Your job is to shadow Marc Lescrot, an international spy. Here are the photographs you took. Now you are writing your report describing Marc Lescrot's movements. Complete the sentences according to the illustrations.

▶ À 8h30, Marc Lescrot *est arrivé à Paris* _____.

1. À 8h45, il *est monté dans un taxi* _____.

2. À 10h00, il *est entré dans l'Hôtel Regency* _____.

3. À 11h30, il *est sorti de l'Hôtel Regency* _____.

4. À 12h00, il *est monté dans le bus à Opéra* _____.

5. À 12h30, il *est descendu du bus à Défense* _____.

6. À 14h00, il *a pris des photos à une exposition d'ordinateurs* _____.

7. À 15h45, il *est arrivé à l'aéroport d'Orly* _____.

8. À 16h20, il *est parti en avion* _____.

URB
p. 115

Nom _____

Classe _____ Date _____

B 3. La lettre d'Hélène

Hélène lives in Toulouse. Last weekend she decided to go to Paris. Here is the letter she wrote to her friend Pierre. Fill in the blanks with the appropriate forms of the PASSÉ COMPOSÉ of the suggested verbs.

Mon cher Pierre,

J'ai passé le week-end dernier à Paris. Je (j') <u>ai voyagé</u>
en train. Je (j') <u>suis partie</u> de Toulouse vendredi soir et
_{voyager}
je (j') <u>suis arrivée</u> à Paris tôt° samedi matin. À la gare°,
_{arriver}
je (j') <u>ai retrouvé</u> ma cousine Stéphanie.
_{retrouver}

Nous <u>sommes entrées</u> dans un café et nous <u>avons mangé</u>
_{entrer} _{manger}
des croissants. Après, nous <u>sommes allées</u> à la Tour Eiffel.
_{aller}
Nous <u>sommes montées</u> en ascenseur°. Nous <u>avons pris</u> des photos
_{monter} _{prendre}
et nous <u>sommes descendues</u> à pied.
_{descendre}

L'après-midi, nous <u>sommes passées</u> dans les magasins et
_{passer}
nous <u>avons fait</u> des achats. Ensuite, nous <u>sommes allées</u>
_{faire} _{aller}
dans un restaurant et nous <u>avons dîné</u>.
_{dîner}
Stéphanie <u>a téléphoné</u> à un copain qui <u>est venu</u>
_{téléphoner} _{venir}
au restaurant. Stéphanie <u>est sortie</u> avec son copain.
_{sortir}
Moi, je <u>ne suis pas restée</u> avec eux. J (j') <u>suis rentrée</u>
_{ne pas rester} _{rentrer}
à mon hôtel et je (j') <u>ai dormi</u>.
_{dormir}
Dimanche après le déjeuner, je (j') <u>ai pris</u>
_{prendre}
le train et je (j') <u>suis rentrée</u> chez moi.
_{rentrer}
Et toi, qu'est-ce que tu <u>as fait</u> le week-end dernier?
_{faire}

Amitiés,
Hélène

tôt *early*   **la gare** *train station*   **L'ascenseur** *elevator*

Nom _____

Classe _____ Date _____

Discovering
FRENCH
Nouveau!

B L A N C

Unité 2
Leçon 8

Workbook TE

B 4. L'ordre logique

Describe what the following people did. First determine the chronological order in which the actions occurred by numbering them 1, 2, 3, etc. Then write out the corresponding sentences in the correct order using the PASSÉ COMPOSÉ.

A. Stéphanie a acheté une nouvelle robe.

___3___ payer

___4___ partir avec son paquet *(package)*

___1___ aller dans une boutique de mode

___2___ choisir une robe rouge

Elle est allée dans une boutique de mode.

Elle a choisi une robe rouge.

Elle a payé.

Elle est partie avec son paquet.

B. Claire et Sandrine sont allées en ville.

___3___ acheter des CD

___2___ aller dans un centre commercial

___4___ rentrer à pied

___1___ partir en bus

Elles sont parties en bus.

Elles sont allées dans un centre commercial.

Elles ont acheté des cassettes.

Elles sont rentrées à pied.

C. Vous êtes allés dans un bon restaurant.

___3___ arriver à sept heures

___2___ réserver une table

___5___ partir du restaurant à neuf heures

___1___ téléphoner au restaurant

___4___ prendre un excellent repas *(meal)*

Vous avez téléphoné au restaurant.

Vous avez réservé une table.

Vous êtes arrivés à sept heures.

Vous avez pris un excellent repas.

Vous êtes partis du restaurant à neuf heures.

D. Madame LaSalle a eu un accident.

___3___ téléphoner à une ambulance

___2___ tomber dans les escaliers *(stairs)*

___1___ vouloir monter dans sa chambre

___4___ aller à l'hôpital

Elle a voulu monter dans sa chambre.

Elle est tombée dans les escaliers.

Elle a téléphoné à une ambulance.

Elle est allée à l'hôpital.

E. Monsieur Lenoir a dîné chez lui.

___6___ dîner

___5___ mettre la table

___7___ faire la vaisselle

___2___ faire les courses

___4___ préparer le dîner

___1___ aller au supermarché

___3___ rentrer chez lui

Il est allé au supermarché.

Il a fait les courses.

Il est rentré chez lui.

Il a préparé le dîner.

Il a mis la table.

Il a dîné.

Il a fait la vaisselle.

Nom _____

Classe _____ Date _____

Discovering
FRENCH
Nouveau!

BLANC

C 5. Quand?

Claire wants to know when her friends did certain things. Answer her questions.

▶ Christophe est parti? (10 minutes)
  Oui, il est parti il y a dix minutes.

1. Thomas a téléphoné? (2 heures)

   Oui, il a téléphoné il y a deux heures.

2. Catherine est rentrée? (20 minutes)

   Oui, Catherine est rentrée il y a vingt minutes.

3. Marc et Pierre sont allés à Québec? (3 ans)

   Oui, Marc et Pierre sont allés à Québec il y a trois ans.

4. Stéphanie et Valérie ont visité Montréal? (6 mois)

   Oui, Stéphanie et Valérie ont visite Montréal il y a six mois.

 ## 6. Communication (Answers will vary.)

A. Week-ends Different people do different things on weekends. Choose two of the illustrations and describe how these people spent their weekends. Use a separate sheet of paper. You may want to consider the following questions:

- Où est allée cette personne? Comment?
- À quelle heure est-elle partie?
- Qu'est-ce qu'elle a fait là-bas?
- Combien de temps est-elle restée?
- À quelle heure et comment est-elle rentrée?
- Qu'est-ce qu'elle a fait après?

1. M. Charron   2. Véronique et Marthe   3. Marc et Jean-Claude   4. Sophie

B. Sortie Write a short paragraph describing what you did the last time you went out with a friend. You may want to answer the following questions. Use a separate sheet of paper, if necessary.

- When did you go out?
- With whom did you go out?
- Where did you go?
- What did you do afterwards?
- At what time did you come home?

Je suis sorti(e) dimanche dernier avec ma copine Catherine. Nous sommes allé(e)s au concert de musique classique. Après nous avons parlé. Je suis rentré(e) à cinq heures de l'après-midi.

Nom _____

Classe _____ Date _____

Discovering
FRENCH
Nouveau!
B L A N C

Unité 2
Leçon 8

Activités pour tous TE

LEÇON 8 Tu es sorti?

A

Activité 1 Dialogues

Complétez les phrases avec la forme correcte de **partir, sortir** ou **dormir.**

1. — Où pars-tu?

   — Je ___pars___ pour la gare.

2. — Est-ce que tu vas sortir?

   — Oui, je voudrais bien ___sortir___ ce soir.

   — Mais, tu n'es pas un peu fatigué?

   — Oui, mais je peux ___dormir___ plus tard!

3. — Est-ce qu'Isabelle va partir bientôt?

   — Mais non, elle est déjà ___partie___ !

4. — Vous ___sortez___ maintenant?

   — Oui, enfin, nous allons sortir.

Activité 2 Le participe passé

Mettez un cercle autour de la phrase qui est en accord avec l'image.

1.   Il est resté.   (Elle est restée.)   Elles sont restées.

2.   (Vous êtes venus.)   Vous êtes venues.   Vous êtes venu.

3.   Ils sont partis.   (Elles sont parties.)   Elle est partie.

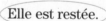
4.   Elles sont rentrées.   (Ils sont rentrés.)   Il est rentrés.

Activité 3 Non, merci!

Un copain vous téléphone dimanche. Complétez le dialogue en utilisant **il y a, hier** ou **avant-hier.**

— Tu veux aller à la piscine?

— Non, j'y suis allé ___il y a quatre___ jours.

— Alors, tu veux aller voir un film?

— Euh, j'ai fait ça ___il y a trois___ jours.

— Bon, alors tu veux aller au restaurant?

— J'y suis allé ___avant-hier.___ .

— Au stade, alors!

— Bof, j'ai été au stade ___hier___ !

lundi	28/9	
mardi	29/9	
mercredi	30/9	piscine
jeudi	1/10	film
vendredi	2/10	restaurant
samedi	3/10	stade
dimanche	4/10	

URB
p. 119

Nom _____

Classe _____ Date _____

Discovering
FRENCH
Nouveau!

B L A N C

B

Activité 1 Le week-end

Complétez les phrases avec la forme correcte des verbes **partir, sortir** et **dormir.**

D'habitude, le samedi soir, mes copains et moi, nous *sortons* . Albert *sort* avec sa copine Hélène. Marc et Antoine *sortent* avec leurs copines et moi, je *sors* avec Didier. Mais le week-end dernier, il y a eu des problèmes. Hélène n'*est pas sortie* parce qu'elle était fatiguée; elle *a dormi* toute la journée. Marc et Antoine *ne sont pas sortis* avec leurs copines parce qu'elles *sont parties* en vacances. Mais moi, je *suis sortie* avec Didier et on a vu un bon film. Ce week-end, nous allons faire un voyage en famille mais nous *partons* à des heures différentes. Moi, je *pars* à 7h30 du matin avec ma mère, mes soeurs *partent* le soir avec mon père.

Activité 2 Les activités de chacun

Faites des phrases avec un verbe auxiliaire de la colonne A et un participe passé de la colonne B.

A	B
suis	venus écouter des CD
es	monté à Étoile
est	parties en vacances
sommes	revenue de vacances
sont	tombés de cheval

1. Nous *sommes venus écouter des CD* .

2. Olivier *est monté à Étoile* .

3. Claudine et Anna *sont parties en vacances* .

4. Moi, je *suis revenue de vacances* .

5. Brigitte et Paul *sont tombés de cheval* .

Activité 3 Il y a combien de temps?

Choisissez la réponse logique.

b 1. Quand es-tu né(e)?

e 2. Quand est-ce que les États-Unis ont été établis?

d 3. Quand est-ce que ta mère a acheté du pain?

a 4. Quand est-ce que John F. Kennedy est mort?

c 5. Quand est-ce que la rentrée a commencé?

a. Il y a plus de quarante ans.

b. Il y a seize ans.

c. Il y a un mois et demi.

d. Il y a deux jours.

e. Il y a plus de deux cent ans.

Nom _____

Classe _____ Date _____

Discovering FRENCH *Nouveau!*

B L A N C

Unité 2
Leçon 8

Activités pour tous TE

C

Activité 1 Des questions

Répondez aux questions. *Answers will vary. Sample answers:*

1. Combien d'heures dors-tu, d'habitude? Et hier?

   D'habitude, je dors huit heures. Hier, j'ai dormi neuf heures.

2. Combien de fois par semaine sors-tu avec tes amis? Et la semaine dernière?

   Je sors une fois par semaine avec mes amis. La semaine dernière, je ne suis pas sorti(e).

3. Avec ta famille, quand pars-tu en vacances en été? Et l'été dernier?

   Nous partons en juillet. L'été dernier aussi, nous sommes partis en juillet.

Activité 2 Hier et aujourd'hui

Mettez les phrases au passé composé.

1. Je vais aller à un match de foot   *Je suis allé(e) à un match de foot.*

4. Nous allons descendre en ville.   *Nous sommes descendu(e)s en ville.*

2. Claire ne va pas rentrer à cinq heures.   *Elle n'est pas rentrée à cinq heures.*

5. Isabelle et Sophie ne vont pas venir ce soir. *Isabelle et Sophie ne sont pas venues ce soir.*

Activité 3 Il y a combien de temps?

Répondez aux questions avec **il y a** et une expression de temps. Faites des phrases complètes! *Answers will vary. Sample answers:*

1. Quand as-tu acheté ton  ?   J'ai acheté mon ordinateur il y a deux ans.

2. Quand as-tu  ?   · J'ai mangé il y a trois heures.

3. Quand as-tu fêté ton ?   J'ai fêté mon anniversaire il y a quatre mois.

4. Quand as-tu commencé  ?   J'ai commencé le français il y a un an.

Discovering FRENCH *Nouveau!*

B L A N C

LEÇON 8 Tu es sorti?, page 130

Objectives

Communicative Functions and Topics
To talk about the past and where one went
To express how long ago things happened

Linguistic Goals
To use the verbs *sortir*, *partir*, and *dormir*
To use *être* with the *passé composé* of verbs of motion
To use *il y a* + elapsed time

Cultural Goals
To compare French and American parental attitudes
To learn about Normandy and to be aware of French camping options

Motivation and Focus

❑ Ask students to preview the photos on pages 130–131. Who are these people? Why does the father look worried? Have students predict what might happen in this scene.

Presentation and Explanation

❑ *Lesson Opener:* Review the previous scene with Activity 1 on page 67 of the **Workbook**. Play **Video** 1 or **DVD** 1, Counter 28:21–30:13 or **Audio** CD 2, Track 9, or read pages 130–131. Ask students to read the conversation and retell what they remember. Do *Compréhension* on page 131 and the CROSS-CULTURAL UNDERSTANDING activity on page 130 in the TE.

❑ *Grammar A:* Present the verbs on page 132, explaining the conjugation patterns. Call attention to the auxiliary verbs used in the past tense.

❑ *Grammar B* and *Vocabulaire:* Present verbs that use *être* in the *passé composé*, pages 133–134. Model the examples and have students repeat. Ask questions using these verbs.

❑ *Grammar C:* Present *il y a*, page 137. Model the example and guide students to talk about how long ago certain events happened.

Guided Practice and Checking Understanding

❑ Use **Overhead Transparency** 25 and the activity described on page A88 to have students practice using verbs conjugated with *être*. Use **Overhead Transparency** 25 with the TEACHING NOTE at the bottom of page 134 in the TE, or **Overhead Transparencies** 18 and 19, for additional practice.

❑ To check understanding, use **Audio** CD 7, Tracks 20–25 or the **Audioscript** with **Workbook** Listening/Speaking Activities A–F, pages 67–68.

❑ Have students do **Video Activities** 3–8, pages 135–138, as they view the **Video** or listen while you read the **Videoscript**.

❑ Do the COMPREHENSION activity, page 133 in the TE, to check listening skills and understanding of past tense sentences.

Independent Practice

❑ Model the activities on pages 132–137. Assign Activities 1–2, 4–6, and 8 for PAIR PRACTICE, and 3, 7, 9, and 10 for homework.

❑ **Communipak** *Interviews* 1–4 (pages 152–153), *Conversations* 1–5 (pages 158–159), and *Tête à tête* 1–4 (pages 164–171), can be used for additional oral pair practice.

❑ Have students do any appropriate activities in **Activités pour tous**, pages 53–55.

Monitoring and Adjusting

- ❑ Assign Writing Activities 1–6 in the **Workbook** pages 69–72.
- ❑ Monitor students as they work on the practice activities. Refer them to appropriate grammar and vocabulary boxes, pages 132–137. Use TEACHING NOTES, LANGUAGE NOTES, and VARIATION suggestions on pages 132–136 in the TE.

End-of-Lesson Activities

- ❑ *À votre tour!:* Do Activity 1, page 137, in pairs. Use **Audio** CD 2, Track 10 to check answers. Follow the GROUP WRITING PRACTICE suggestions for Activity 2. Invite pairs and groups to present their work to the class.

Review

- ❑ Have students review the information they learned in this unit by completing the **Tests de contrôle** activities on pages 140–141. Encourage students to use the page references in the **Review . . .** tabs to verify/clarify grammar and vocabulary.

Reteaching

- ❑ Redo any appropriate activities from the **Workbook**.
- ❑ Assign the **Video** for students who need more review or make-up work.
- ❑ Students can review verbs conjugated with *être* with **Teacher to Teacher** page 21.

Assessment

- ❑ After students have completed all of the lesson's activities, administer Quiz 8 on pages 148–149. Use the **Test Generator** to adapt questions to your class's needs, Administer Unit Test 2 (Form A or B) on pages 189–198 of **Unit Resources**. For assessment of specific language skills, use the **Performance Tests** for the unit.

Extension and Enrichment

- ❑ Assign *Interlude 2*, pages 144–149. Use the cultural information and teaching suggestions on the bottom and in the margins of the TE pages. Students can answer the *Avez-vous compris?* questions and do **Workbook** Reading and Culture Activities page 82.

Summary and Closure

- ❑ Have pairs of students prepare the role play in Activity 9 on page 139 of the **Video Activities**. As they present their role plays, other students can restate the linguistic and communicative goals of the lesson.
- ❑ Do PORTFOLIO ASSESSMENT on page 137 in the TE.

End-of-Unit Activities

- ❑ *Lecture:* Use the PRE-READING ACTIVITY on page 138 in the TE to introduce pages 138–139. Have students read the letter and answer the *Vrai ou faux?* questions on page 139. Follow the POST-READING PAIR ACTIVITIES suggestions on page 139 in the TE.
- ❑ *Interlude 2:* Use SETTING THE SCENE, page 144 in the TE, to preview the reading selection. Share the facts about the region and CULTURAL BACKGROUND on page 144 in the TE. Read and discuss *Avant de lire*. Have students read the selections and answer the *Avez-vous compris?* questions, pages 144–149. Discuss reading strategies and cognate patterns on pages 148–149. Use **Workbook** Reading and Culture Activities, pages 78–82, to reinforce reading skills and to review *Interlude 2*.

Discovering
FRENCH *Nouveau!*

B L A N C

LEÇON 8 Tu es sorti?, page 130

Block Scheduling (4 Days to Complete, Including Unit Test)

Objectives

Communicative Functions and Topics	To talk about the past and where one went To express how long ago things happened
Linguistic Goals	To use the verbs *sortir*, *partir*, and *dormir* To use *être* with the *passé composé* of verbs of motion To use *il y a* + elapsed time
Cultural Goals	To compare French and American parental attitudes To learn about Normandy and to be aware of French camping options

Block Schedule

Variety Have students gather in a circle to tell a chain story using the **passé composé**. You begin the story, establishing the name of the main character and something s/he did. The first student adds a sentence using a different verb in the **passé composé**. The next student adds another sentence with yet another verb. Continue until everyone in the class has had a chance to add to the story. Then ask students to work independently to write the story's ending. Students may only repeat verbs when they create the ending to the story. ■

Day 1

Motivation and Focus

❑ Ask students to preview the photos on pages 130–131. Who are these people? Why does the father look worried? Have students predict what might happen in this scene.

Presentation and Explanation

❑ *Lesson Opener:* Review the previous scene with Activity 1 on page 67 of the **Workbook**. Play **Video** 1 or **DVD** 1, Counter 28:21–30:13 or **Audio** CD 2, Track 9, or read pages 130–131. Ask students to read the conversation and retell what they remember. Do *Compréhension* on page 131 and the CROSS-CULTURAL UNDERSTANDING activity on page 130 in the TE.

❑ *Grammar A:* Present the verbs on page 132, explaining the conjugation patterns. Call attention to the auxiliary verbs used in the past tense.

❑ *Grammar B* and *Vocabulaire:* Present verbs that use *être* in the *passé composé*, pages 133–134. Model the examples and have students repeat. Ask questions using these verbs.

❑ *Grammar C:* Present *il y a*, page 137. Model the example and guide students to talk about how long ago certain events happened.

Guided Practice and Checking Understanding

❑ Use **Overhead Transparency** 25 and the activity described on page A88 to have students practice using verbs conjugated with *être*. Use **Overhead Transparency** 25 with the TEACHING NOTE of the bottom of page 134 in the TE, or **Overhead Transparency** 18, for additional practice.

❑ To check understanding, use **Audio** CD 7, Tracks 20–25 or the **Audioscript** with **Workbook** Listening/Speaking Activities A–F, pages 67–68.

❑ Have students do **Video Activities** 3–8, pages 135–138, as they view the **Video** or listen while you read the **Videoscript**.

❑ Do the COMPREHENSION activity, page 133 in the TE, to check listening skills and understanding of past tense sentences.

Independent Practice

❑ Model the activities on pages 132–137. Assign Activities 1, 6, and 8 for PAIR PRACTICE, and 2–5, 7, 9, and 10 as written practice or for homework.

❑ **Communipak** *Interviews* 1–4 (pages 152–153), *Conversations* 2, 5–7 (pages 158–160), and *Tête à tête* 1–4 (pages 164–171), can be used for additional oral pair practice.

❑ Have students do any appropriate activities in **Activités pour tous** pages 53–55.

Day 2

Motivation and Focus

❑ Do Activity 1 on page 132 as a whole class oral activity. Ask each student one of the questions, then call on a second student to recount what the first one said.

Monitoring and Adjusting

❑ Assign Writing Activities 1–6 in the **Workbook**, pages 69–72.

❑ Monitor students as they work on the writing activities. Refer them to appropriate grammar and vocabulary boxes, pages 132–137. Use TEACHING NOTES, LANGUAGE NOTES, and VARIATION suggestions on pages 132–136 in the TE.

End-of-Lesson Activities

❑ *À votre tour!:* Do Activity 1, page 137, in pairs. Use **Audio** CD 2, Track 10 to check answers. Follow the GROUP WRITING PRACTICE suggestions for activity 2. Invite pairs and groups to present their work to the class.

Review

❑ Have students review the information they learned in this unit by completing the **Tests de contrôle** activities on pages 140–141. Encourage students to use the page references in the **Review . . .** tabs to verify/clarify grammar and vocabulary.

Reteaching (as needed)

❑ Assign the **Video** for students who need more review or make-up work.

❑ Students can review verbs conjugated with *être* with **Teacher to Teacher** page 21.

Summary and Closure

❑ Have pairs of students prepare the role play in Activity 9 on page 139 of the **Video Activities**. As they present their role plays, other students can restate the linguistic and communicative goals of the lesson.

❑ Do PORTFOLIO ASSESSMENT on page 137 in the TE.

Assessment

❑ After students have completed all of the lesson's activities, administer Quiz 8 on pages 148–149. Use the **Test Generator** to adapt questions to your class's needs.

Day 3

Motivation and Focus

❑ Go over all the activities from the **Workbook** to determine which vocabulary and grammar points need to be reviewed for Unit Test 2.

Reteaching (as needed)

❑ Assign the **Video** for students who need more review or make-up work.
❑ Use **Overhead Transparencies** 19–25 to review vocabulary and grammar from Unit 2. Redo any of the suggested activities on pages A78–A89 for review of communication objectives.
❑ Have students do the **Block Schedule Activity** at the top of p. 124 of these lesson plans. Monitor students' usage of the *passé composé* with both *avoir* and *être*.

Extension and Enrichment (as desired)

❑ Use **Block Scheduling Copymasters**, pages 65–72.
❑ For expansion activities, direct students to www.classzone.com.
❑ Have students do the Reading and Culture Activities on **Workbook** pages 74–81.

Day 4

End-of-Unit Activities

❑ *Lecture:* Use the PRE-READING ACTIVITY on page 138 in the TE to introduce pages 138–139. Have students read the letter and answer the *Vrai ou faux?* questions on page 139. Follow the POST-READING PAIR ACTIVITIES suggestions on page 139 in the TE.
❑ *Interlude 2:* Use SETTING THE SCENE, page 144 in the TE, to preview the reading selection. Share the facts about the region and CULTURAL BACKGROUND on page 144 in the TE. Read and discuss *Avant de lire*. Have students read the selections and answer the *Avez-vous compris?* questions, pages 144–149. Discuss reading strategies and cognate patterns on pages 148–149. Use **Workbook** Reading and Culture Activities, page 82, to reinforce reading skills.

Assessment

❑ Administer Unit Test 2 (Form A or B) on pages 189–189 of **Unit Resources**. Or for assessment of specific language skills, use the **Performance Tests** for this unit.

Nom _____

Classe _____ Date _____ _____

Unité 2
Leçon 8

Absent Student Copymasters

B L A N C

Discovering
FRENCH *Nouveau!*

LEÇON 8 Vidéo-scène: Tu es sorti?, pages 130–131

Materials Checklist

❑ **Student Text**
❑ **Audio** CD 2, Track 9; **Audio** CD 7, Tracks 20–21
❑ **Video** 1 or **DVD** 1, Counter 28:21–30:13
❑ **Workbook**

Steps to Follow

❑ Before you watch the **Video** or **DVD**, read the questions in *Compréhension* (p. 131). They will help you understand what you see and hear.
❑ Look at the photos on pages 130–131 while you read the text. Write down any unfamiliar words or expressions. Check meanings. Listen to **Audio** CD 2, Track 9.
❑ Watch **Video** 1 or **DVD** 1, Counter 28:21–30:13. Pause and replay if necessary.
❑ Do Listening/Speaking Activities Section 1, Activities A–B in the **Workbook** (p. 67). Use **Audio** CD 7, Tracks 20–21.
❑ Answer the questions in *Compréhension* (p. 131).

If You Don't Understand . . .

❑ Watch the **Video** or **DVD** in a quiet place. Try to stay focused. If you get lost, stop the **Video** or **DVD**. Replay it and find your place.
❑ Listen to the **CDs** in a quiet place. If you get lost, stop the **CDs**. Replay them and find your place. Try to sound like the people on the recording.
❑ On a separate sheet of paper, write down new words and expressions. Check for meaning.
❑ Say aloud anything you write. Make sure you understand everything you say.
❑ Write down any questions so that you can ask your partner or your teacher later.

Self Check

Répondez aux questions suivantes.

1. Quelle heure est-il chez les Duval?
2. Qui est impatient? Pourquoi?
3. Qu'est-ce que M. Duval a oublié?
4. Pierre a eu quelle note?
5. Comment est-ce que le papa de Pierre trouve le crocodile?

Answers

1. Il est sept heures et demie chez les Duval. 2. M. Duval est impatient parce que Pierre n'est pas rentré. 3. M. Duval a oublié que Pierre a passé son examen la semaine dernière. 4. Pierre a eu la meilleure note de la classe. 5. M. Duval trouve le crocodile marrant.

URB
p. 127

A. Les verbes comme *sortir* et *partir*, page 132

Materials Checklist

❑ **Student Text**
❑ **Audio** CD 7, Track 22
❑ **Workbook**

Steps to Follow

❑ Study *Les verbes comme **sortir** et **partir*** (p. 132). Copy the model sentences. Say the model sentences aloud. Check meanings.

❑ Write the model sentences for **sortir** and **partir** in the **passé composé**. Underline the verb in each sentence. Say them aloud.

❑ Do Listening/Speaking Activities Section 2, Activity C in the **Workbook** (p. 67). Use **Audio** CD 7, Track 22. Repeat everything you hear. Try to sound like the people in the recording.

❑ Do Activity 1 in the text (p. 132). Write your answers on a separate sheet of paper. Read them aloud. Underline the verbs.

❑ Do Writing Activity A 1 in the **Workbook** (p. 69).

If You Don't Understand . . .

❑ Listen to the **CDs** in a quiet place. Try to stay focused. If you get lost, stop the **CDs**. Replay them and find your place.

❑ Reread activity directions. Put the directions in your own words.

❑ Read the model several times. Be sure you understand it.

❑ Say aloud everything that you write. Be sure you understand what you are saying.

❑ When writing a sentence, ask yourself, "What do I mean? What am I trying to say?"

❑ Write down any questions so that you can ask your partner or your teacher later.

Self Check

Faites des phrases d'après le modèle.

▶ le week-end / je / sortir / avec mes amis.
  Le week-end je sors avec mes amis.

1. aujourd'hui / nous / partir / à la campagne
2. vous / sortir / de la classe / à 3 heures
3. il / partir / en vacances
4. elle / dormir / depuis deux heures
5. tu / partir / vers midi
6. je / sortir / ce soir

Answers

1. Aujourd'hui nous partons à la campagne. 2. Vous sortez de la classe à trois heures. 3. Il part en vacances. 4. Elle dort depuis deux heures. 5. Tu pars vers midi. 6. Je sors ce soir.

Nom _____

Classe _____ Date _____

Discovering
FRENCH
Nouveau!

B L A N C

Unité 2
Leçon 8
Absent Student Copymasters

B. Le passé composé avec *être*, pages 133–136

Materials Checklist

❑ **Student Text**   ❑ **Workbook**
❑ **Audio** CD 7, Tracks 23–25

Steps to Follow

❑ Study *Le passé composé avec* ***être*** (p. 133). Copy the model sentences. Circle the past participle in each sentence. Underline the past participle endings. Say each sentence aloud.
❑ Do Listening/Speaking Activities Section 2, Activities D–F in the **Workbook** (p. 68). Use **Audio** CD 7, Tracks 23–25.
❑ Do Activity 2 in the text (p. 133). Write the answers in complete sentences. Underline the **passé composé** in each sentence. Circle the past participle endings.
❑ Study *Vocabulaire: Les verbes conjugués avec* ***être*** (p. 134). Read the model sentences aloud. List the verbs. Circle the past participle endings.
❑ Do Activity 3 in the text (p. 134). Write the answers in complete sentences. Underline the **passé composé**. Read the answers aloud.
❑ Do Activities 4 and 5 in the text (p. 135). Circle the past participles. Check endings.
❑ Do Activity 6 in the text (p. 135). Write the questions and answers for both parts. Read them aloud.
❑ Do Activity 7 in the text (p. 136).
❑ Do Activity 8 in the text (p. 136). Write both parts of the dialogue. Circle the **passé composé** with **être**. Underline the **passé composé** with **avoir**. Read the dialogues aloud.
❑ Do Writing Activities B 2–4 in the **Workbook** (pp. 69–71).

If You Don't Understand . . .

❑ Listen to the **CD** in a quiet place. Try to stay focused. If you get lost, stop the **CD**. Replay it and find your place.
❑ Reread activity directions. Put the directions in your own words.
❑ Read the model several times. Be sure you understand it.
❑ Say aloud everything that you write. Be sure you understand what you are saying.
❑ When writing a sentence, ask yourself, "What do I mean? What am I trying to say?"
❑ Write down any questions so that you can ask your partner or your teacher later.

Self Check

Répondez aux questions suivantes d'après le modèle.

▶ Quand est-ce que tu es partie en vacances? (je / la semaine dernière)
    Je suis partie en vacances la semaine dernière.

1. Où êtes-vous allés samedi soir? (nous / au restaurant)
2. Quand est-il retourné en France (il / lundi)
3. À quelle heure est-elle rentrée? (elle / à 7 heures)
4. Quand est-ce que tu es revenu? (je / dimanche)
5. Est-ce que vous êtes passées par le parc? (nous / la semaine dernière)

Answers

1. Nous sommes allés au restaurant.   2. Il est retourné en France lundi.   3. Elle est rentrée à 7 heures.   4. Je suis revenu dimanche.   5. Nous sommes passées par le parc la semaine dernière.

Copyright © by McDougal Littell, a division of Houghton Mifflin Company.

URB
p. 129

Nom _____

Classe _____ Date _____

C. L'expression *il y a,* pages 137

Materials Checklist

❑ **Student Text**
❑ **Audio** CD 2, Track 10
❑ **Workbook**

Steps to Follow

❑ Study *L'expression **il y a*** (p. 137). Copy the model sentences. Say them aloud.
❑ Do Activity 10 in the text (p. 124). Write the answers in complete sentences. Read the answers aloud.
❑ Do Writing Activities C 5 and 6 in the **Workbook** (p. 72).
❑ Do Activity 1 of *À votre tour* in the text (p. 137). Use **Audio** CD 2, Track 10.

If You Don't Understand . . .

❑ Listen to the **CD** in a quiet place. Try to stay focused. If you get lost, stop the **CD**. Replay it and find your place.
❑ Reread activity directions. Put the directions in your own words.
❑ Read the model several times. Be sure you understand it.
❑ Say aloud everything that you write. Be sure you understand what you are saying.
❑ When writing a sentence, ask yourself, "What do I mean? What am I trying to say?"
❑ Write down any questions so that you can ask your partner or your teacher later.

Self Check

Écrivez des phrases complètes d'après le modèle.

▶ Corinne / sortir / un quart d'heure
  Corinne est sortie il y a un quart d'heure.

1. Jean / partir / deux jours
2. nous (f.) / rentrer / un mois
3. Annette / voir le film / un an
4. elles / revenir de France / trois semaines
5. je / faire une promenade à vélo / un mois

Answers

1. Jean est parti il y a deux jours. 2. Nous sommes rentrées il y a un mois. 3. Annette a vu le film il y a un an. 4. Elles sont revenues de France il y a trois semaines. 5. J'ai fait une promenade à vélo il y a un mois.

Nom _____

Classe _____ Date _____

Discovering FRENCH *Nouveau!*

B L A N C

Unité 2
Leçon 8
Family Involvement

LEÇON 8 Tu es sorti?

Le week-end

Take a poll and find out if family members went out or stayed home last weekend. Ask more than one family member or include the results for yourself and one other family member.

- First, explain your assignment.
- Next, help the family member pronounce the words. Model the pronunciation as you point to each word. Give English equivalents if necessary.
- Then, ask the question, **Qu'est-ce que tu as fait le week-end dernier?**
- Write a sentence for each family member.

Family member: **Je suis sorti (e)**   **Je suis resté(e) à la maison**

_____

_____

_____

Discovering
FRENCH
Nouveau!

BLANC

Nom _____

Classe _____ Date _____

Les vacances

Find out the last time a family member went away on vacation. Choose the most appropriate answers.

- First, explain your assignment.

- Next, help the family member pronounce the words. Model the pronunciation as you point to each word. Give English equivalents if necessary.

- Then, ask the question, **Quand es-tu parti(e) en vacances?**

- When you have an answer, complete the sentence below.

il y a une semaine

il y a un mois

il y a quelques mois

il y a une année

_____ **est parti(e) en vacances** _____.

Discovering
FRENCH
Nouveau!

BLANC

Unité 2
Leçon 8
Video Activities

LEÇON 8 Tu es sorti?

Cultural Commentary

🌐 M. Duval is exercising his «**autorité parentale**» when he inquires about Pierre's whereabouts and his study obligations. Traditionally, the father was «**le chef de la famille.**» Now, the mother also shares in the responsibility of running the family. French parents are generally not as strict as they used to be, but young people do need their parents' permission to go out, borrow the family car, etc.

🌐 The French grading system consists of a numerical 20-point scale (0 = low; 20 = high). Grades of 19 or 20 are virtually unheard of. When Pierre says he received the highest grade in the class, he probably did not receive a score higher than 16. In addition to the number grade, French report cards include a space for teacher comments.

🌐 Many older French homes have a fireplace (**une cheminée**), since they were built before the widespread use of electricity. In newer homes, the fireplace adds both aesthetic and practical value to the living area. Given the Alpine climate in Annecy, the **cheminées** are a welcome source of heat during the winter months.

🌐 The living area of the Duval home features a typical open design with the living room (**le salon**) extending into the dining room (**la salle à manger**) via a step-down between the two rooms.

Grammar Correlation

A A Les verbes comme *sortir* et *partir* (Student text, p. 132)

Pierre: Je vais **sortir**. (Leçon 6)
M. Duval: Mais il **sort** tout le temps en ce moment...

B Le passé composé avec *être* (Student text, p. 133)

Claire: Pierre **est allé** au cinéma avec Armelle.

Mme Duval: Mais oui, il **est sorti**.
M. Duval: Quand est-ce qu'il **est parti**?
Il n'est pas encore **rentré**?

URB
p. 133

Nom _____

Classe _____ Date _____

Discovering
FRENCH
Nouveau!

BLANC

LEÇON 8 Tu es sorti?

Activité 1. Tu te rappelles?

Do you remember what happened in the last episode? Before watching the next video scene, answer the following questions *in complete sentences*.

1. Où est-ce que Pierre est allé avec Armelle? _____

_____

2. Où est-ce que Pierre et Armelle ont rencontré Corinne? _____

_____

3. Qu'est-ce que Corinne a donné à Pierre? _____

_____

Activité 2. Vérifie!   Counter 28:30–28:44

Now correct Activity 1 above as you watch the first segment of the video scene.

Nom

Classe _____ Date _____

Discovering
FRENCH
Nouveau!

BLANC

Unité 2
Leçon 8

Video Activities

Activité 3. Chez les Duval

Counter 28:45–28:55

Something is about to happen at the Duvals'. As you watch the video, fill in the blanks in the sentences below.

Il est maintenant _____ heures et demie. Les Duval sont prêts à _____, mais Pierre n'est pas _____. Monsieur Duval s'impatiente _____.

▶ Tu as bien compris?

Question: Depuis combien de temps *(for how long)* est-ce que Pierre est absent de la maison?

Réponse: _____

Activité 4. Tout est bien qui finit bien!

Counter 28:56–30:13

Where is Pierre? As you watch the next video segment, decide whether the statements below are true (vrai) or false (faux) and circle the appropriate answer.

1. Pierre est <u>sorti</u>.   vrai   faux   _____

2. Il est parti vers <u>trois</u> heures.   vrai   faux   _____

3. C'est <u>mercredi</u> aujourd'hui.   vrai   faux   _____

4. Pierre est allé au ciné avec <u>Armelle</u>.   vrai   faux   _____

5. Pierre <u>a oublié</u> son examen de maths.   vrai   faux   _____

6. Il a eu la <u>meilleure</u> note de la classe.   vrai   faux   _____

7. <u>Corinne</u> a donné quelque chose à Pierre.   vrai   faux   _____

8. Les Duval passent <u>au salon</u>.   vrai   faux   _____

Nom _____

Classe _____ Date _____

Activité 5. Corrige, s'il te plaît!

Now go back to Activity 4. For each item you marked false, write the correct word or words in the appropriate blank so that the statement is true.

▶ **Tu as remarqué?**

Eh, ben, oui…
Je suis allé au ciné avec Armelle.

Question: In the caption above, Pierre uses a shortened form of the word **cinéma**. What is it?

Réponse: _____

When French young people talk, they often shorten common words and expressions. For example:

une discothèque → une disco

le Boulevard St. Michel → le Boul Mich
(a major street in Paris)

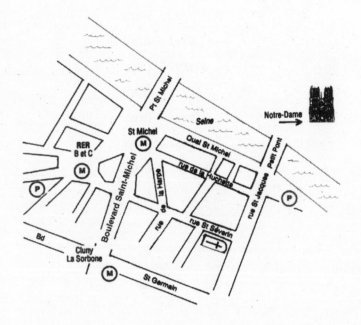

Nom _____

Classe _____ Date _____

Discovering FRENCH *Nouveau!*

BLANC

Unité 2
Leçon 8
Video Activities

Activité 6. À ton tour!

You can talk like the French! Write the shortened forms of the following words.

1. une faculté → une _____

2. un restaurant → un _____

3. l'université → l' _____

4. une bibliothèque → une _____

▶ **EXPRESSION POUR LA CONVERSATION: Ne te fâche pas!**

Question: When Madame Duval told her husband **«Ne te fâche pas, Jacques!»**, what was she telling him?

Réponse: _____ *

Activité 7. Ne te fâche pas!

Think of a situation in which you have told someone not to get angry. Fill in the bubble below with one or more sentences (in French!) describing the situation. Then, get together with a classmate and share your situations.

Ne te fâche pas!

* Answer: "Don't get angry!"

Nom _____

Classe _____ Date _____

Activité 8. Où est Pierre?

M. and Mme Duval's questions and answers got all mixed up. Put the words in the right order and fill in the bubbles below.

1. M. DUVAL: est où Pierre tu sais ?

2. MME DUVAL: parti , oui il mais est .

3. M. DUVAL: parti il est-ce qu' est quand ?

4. MME DUVAL: heures vers deux .

5. M. DUVAL: n' pas rentré il encore est !?

6. MME DUVAL: fâche ne , Jacques pas te !

Nom _____

Classe _____ Date _____

Discovering
FRENCH *Nouveau!*

B L A N C

Unité 2
Leçon 8

Video Activities

Activité 9. Au téléphone

Together with a classmate, prepare the conversation below. Use the *«Phrases utiles»* from the box.

Characters: You, a classmate

Scene: On the telephone

Situation: Call your friend and ask where he/she went last night and what your friend did there. *Get as much information as you can!* Your classmate will then ask you about your evening. One of you ends the conversation by saying you have to do something.

«»
Phrases utiles
Allô! Qui est à l'appareil? *(Who's on the phone?)*
Ici Pierre. *(This is Pierre.)*
Dis, où est-ce que tu es allé(e) hier soir?
Et qu'est-ce que tu as fait là-bas?
Ne quitte pas! *(Hold on!)*

LEÇON 8   Vidéo-scène: Tu es sorti?

Video 1, DVD 1
28:21–30:13

Counter 28:30–28:44   1.   CLAIRE: Dans l'épisode précédent, Pierre est allé au cinéma avec Armelle. Après le film, ils sont allés dans un café où ils ont rencontré Corinne. Corinne a donné quelque chose à Pierre.

CORINNE: Tu le veux? Je te le donne.

Counter 28:45–28:55   2.   CLAIRE: Il est maintenant sept heures et demie. Les Duval sont prêts à dîner, mais Pierre n'est pas rentré. Monsieur Duval s'impatiente un peu. Regardez et écoutez.

Counter 28:56–29:10   3.   M. D: Tu sais où est Pierre?

MME D: Mais oui, il est sorti.

M. D: Il est sorti, il est sorti . . . mais il sort tout le temps en ce moment. Quand est-ce qu'il est parti?

MME D: Je ne sais pas, moi . . . vers deux heures.

M. D: Il est parti à deux heures et il n'est pas encore rentré?!

Counter 29:11–29:22   4.   MME D: Ne te fâche pas, Jacques! C'est samedi aujourd'hui. Tiens, le voilà!

PIERRE: Bonsoir, Maman . . . bonsoir, Papa.

Counter 29:23–29:31   5.   M. D: Alors, tu es sorti, comme ça?

PIERRE: Euh, ben, oui . . . je suis allé au ciné avec Armelle.

M. D: Tu es allé au cinéma? C'est bien joli ça, mais je parie que tu as oublié ton examen!

Counter 29:32–29:49   6.   PIERRE: Quel examen?

M. D: Eh bien, ton examen de maths!

PIERRE: Mais non, Papa. C'est toi qui as oublié! Tu sais bien que je l'ai passé la semaine dernière et que j'ai eu la meilleure note de la classe.

M. D: Ah oui, c'est vrai.

Counter 29:50–30:13   7.   PIERRE: On a rencontré Corinne. Regarde ce qu'elle m'a donné!

M. D: C'est marrant! Bon! Passons à table!

LEÇON 8 Tu es sorti?

PE AUDIO

CD 2, Track 9
Vidéo-scène, p. 130

CLAIRE: Dans l'épisode précédent, Pierre est allé au cinéma avec Armelle. Après le film, ils sont allés dans un café où ils ont rencontré Corinne. Corinne a donné quelque chose à Pierre. Il est maintenant sept heures et demie. Les Duval sont prêts à dîner, mais Pierre n'est pas rentré.

Monsieur Duval s'impatiente un peu.

M. D: Tu sais où est Pierre?

MME D: Mais oui, il est sorti . . .

M. D: Il est sorti, il est sorti . . . Mais il sort tout le temps en ce moment . . . Quand est-ce qu'il est parti?

MME D: Je ne sais pas, moi . . . Vers deux heures . . .

M. D: Il est parti à deux heures et il n'est pas encore rentré!?

MME D: Ne te fâche pas, Jacques! C'est samedi aujourd'hui . . .

CLAIRE: À ce moment, la porte s'ouvre. C'est Pierre qui rentre.

MME D: Tiens, le voilà!

PIERRE: Bonsoir, Maman . . . Bonsoir, Papa . . .

CLAIRE: M. Duval n'est pas très content. Il veut savoir où est allé Pierre.

M. D: Alors, tu es sorti, comme ça?

PIERRE: Eh, ben, oui . . . Je suis allé au ciné avec Armelle.

M. D: Tu es allé au cinéma? C'est bien joli ça, mais je parie que tu as oublié ton examen!

PIERRE: Quel examen?

M. D: Eh bien, ton examen de maths!

PIERRE: Mais non, Papa. C'est toi qui as oublié! Tu sais bien que je l'ai passé la semaine dernière et que j'ai eu la meilleure note de la classe.

M. D: Ah oui, c'est vrai.

PIERRE: On a rencontré Corinne. Regarde ce qu'elle m'a donné!

M. D: C'est marrant!

CLAIRE: M. Duval a retrouvé sa bonne humeur . . . La famille passe à la salle à manger pour le dîner.

M. D: Bon! Passons à table!

B L A N C

CD 2, Track 10

À votre tour! p. 137

1. Situation: Lundi matin

Aujourd'hui, nous sommes lundi matin. Éric et Chantal parlent de leur week-end.

ÉRIC: Salut, Chantal! Ça va?

CHANTAL: Oui, ça va, merci.

ÉRIC: Tu es sortie samedi dernier?

CHANTAL: Oui, je suis allée à une boum chez ma cousine Alice.

ÉRIC: Qu'est-ce que vous avez fait?

CHANTAL: Eh bien, on a écouté de la musique et on a dansé un peu.

ÉRIC: À quelle heure es-tu rentrée chez toi?

CHANTAL: À onze heures.

ÉRIC: Et dimanche, tu es restée chez toi?

CHANTAL: Non, j'ai fait un tour à la campagne avec mes parents. Après, on est allé dîner dans un restaurant chinois.

ÉRIC: Qu'est-ce que tu as fait quand tu es rentrée chez toi?

CHANTAL: J'ai fait mes devoirs et après, j'ai vu un film à la télé.

WORKBOOK AUDIO

Section 1. Vidéo-scène

CD 7, Track 20

Activité A. Compréhension générale, p. 130

Allez à la page 130 de votre texte.

CLAIRE: Dans l'épisode précédent, Pierre est allé au cinéma avec Armelle. Après le film, ils sont allés dans un café où ils ont rencontré Corinne. Corinne a donné quelque chose à Pierre. Il est maintenant sept heures et demie. Les Duval sont prêts à dîner, mais Pierre n'est pas rentré.

Monsieur Duval s'impatiente un peu.

M. D: Tu sais où est Pierre?

MME D: Mais oui, il est sorti . . .

M. D: Il est sorti, il est sorti . . . Mais il sort tout le temps en ce moment . . . Quand est-ce qu'il est parti?

MME D: Je ne sais pas, moi . . . Vers deux heures . . .

M. D: Il est parti à deux heures et il n'est pas encore rentré!?

MME D: Ne te fâche pas, Jacques! C'est samedi aujourd'hui . . .

CLAIRE: À ce moment, la porte s'ouvre. C'est Pierre qui rentre.

MME D: Tiens, le voilà!

PIERRE: Bonsoir, Maman . . . Bonsoir, Papa . . .

CLAIRE: M. Duval n'est pas très content. Il veut savoir où est allé Pierre.

M. D: Alors, tu es sorti, comme ça?

PIERRE: Eh, ben, oui . . . Je suis allé au ciné avec Armelle.

M. D: Tu es allé au cinéma? C'est bien joli ça, mais je parie que tu as oublié ton examen!

PIERRE: Quel examen?

M. D: Eh bien, ton examen de maths!

PIERRE: Mais non, Papa. C'est toi qui as oublié! Tu sais bien que je l'ai passé la semaine dernière et que j'ai eu la meilleure note de la classe.

M. D: Ah oui, c'est vrai.

PIERRE: On a rencontré Corinne. Regarde ce qu'elle m'a donné!

M. D: C'est marrant!

CLAIRE: M. Duval a retrouvé sa bonne humeur . . . La famille passe à la salle à manger pour le dîner.

M. D: Bon! Passons à table!

Discovering FRENCH *Nouveau!*

BLANC

CD 7, Track 21

Activité B. Avez-vous compris?

Maintenant ouvrez votre cahier d'activités. Écoutez bien et indiquez si les phrases suivantes sont vraies ou fausses. Vous allez entendre chaque phrase deux fois. Êtes-vous prêts?

1. Monsieur Duval s'impatiente parce que Pierre n'est pas rentré. #
2. Pierre est sorti vers quatre heures. #
3. Il est allé au ciné avec Armelle. #
4. Pierre a oublié son examen de maths. #
5. Pierre a eu une bonne note à son examen de maths. #
6. Monsieur Duval pense que le crocodile de Corinne est marrant #

Maintenant, corrigez vos réponses.

1. Monsieur Duval s'impatiente parce que Pierre n'est pas rentré. Vrai.
2. Pierre est sorti vers quatre heures. Faux. Il est sorti vers deux heures.
3. Il est allé au ciné avec Armelle. Vrai.
4. Pierre a oublié son examen de maths. Faux. Il n'a pas oublié son examen. Il a passé son examen de maths la semaine dernière.
5. Pierre a eu une bonne note à son examen de maths. Vrai.
6. Monsieur Duval pense que le crocodile de Corinne est marrant. Vrai.

Section 2. Langue et communication

CD 7, Track 22

Activité C. Nous partons

Look at the times in your workbook and then listen as the speaker says when each person is leaving. If the time is correct, repeat the sentence. If the time is not correct, make the appropriate changes.

Modèle A: Marie part à midi. #
　　　　　　　Oui, elle part à midi.

Modèle B: Vous partez à deux heures. #
　　　　　　　Non, vous partez à trois heures.

1. Je pars à neuf heures. #
   Oui, je pars à neuf heures.

2. Nous partons à huit heures. #
   Non, nous partons à sept heures.

3. Pauline part à six heures et demie. #
   Oui, elle part à six heures et demie.

4. Vous partez à minuit. #
   Oui, vous partez à minuit.

5. Tu pars à dix heures et demie. #
   Non, tu pars à dix heures et quart.

6. Mes cousins partent à cinq heures dix. #
   Oui, ils partent à cinq heures dix.

Copyright © by McDougal Littell, a division of Houghton Mifflin Company.

CD 7, Track 23

Activité D. Le lièvre et la tortue

You will hear the story of the tortoise and the hare. Listen carefully, because the reader will make four mistakes. Circle the numbers of the four sentences that contain errors.

1. Le lièvre et la tortue sont partis ensemble. #
2. Il est descendu chez un copain. #
3. Elle est allée directement au but. #
4. Il est resté pour dîner. #
5. Il est sorti après le dîner. #
6. Il est monté dans un arbre pour voir où était la tortue. #
7. Il est tombé. #
8. Elle est passée devant l'arbre avant le lièvre. #
9. Le lièvre est arrivé le premier. #
10. La tortue est arrivée la dernière. #

Maintenant vérifiez vos réponses. Voici les quatre erreurs. Here are the four errors.

4. Il n'est pas resté pour dîner. Il est resté pour déjeuner.
5. Il n'est pas sorti après le dîner. Il est sorti après le déjeuner.
9. Le lièvre n'est pas arrivé le premier. Il est arrivé le dernier.
10. La tortue n'est pas arrivée la dernière. Elle est arrivée la première.

CD 7, Track 24

Activité E. Activités

Look at the pictures in your workbook. For each picture you will hear three statements. Indicate whether each statement is true or false.

Image A

1. Philippe est resté à la maison ce soir. #
2. Il n'est pas sorti. #
3. Il a retrouvé ses amis au café. #

Image B

4. Cécile est passée par le stade. #
5. Elle n'est pas entrée dans le stade. #
6. Elle est tombée de son vélo. #

Image C

7. Nous sommes allés à la campagne avec des amis. #
8. Nous avons vu des chevaux. #
9. Nous avons fait une promenade à vélo. #

Image D

10. Tu es venu à la fête avec ta cousine. #
11. Vous êtes arrivés à huit heures. #
12. Vous avez retrouvé des copains. #

Maintenant corrigez vos réponses.

1. Philippe est resté à la maison ce soir. Vrai.
2. Il n'est pas sorti. Vrai.
3. Il a rencontré ses amis au café. Faux. Il n'a pas rencontré ses amis au café.
4. Cécile est passée par le stade. Vrai.
5. Elle n'est pas entrée dans le stade. Vrai.
6. Elle est tombée de son vélo. Faux. Elle n'est pas tombée de son vélo.
7. Nous sommes allés à la campagne avec des amis. Vrai.
8. Nous avons vu des chevaux. Faux. Nous avons vu des vaches.
9. Nous avons fait une promenade à vélo. Faux. Nous avons fait une promenade à pied.
10. Tu es venu à la fête avec ta cousine. Vrai.
11. Vous êtes arrivés à huit heures. Faux. Vous êtes arrivés à neuf heures.
12. Vous avez retrouvé des copains. Vrai.

CD 7, Track 25

Activité F. Week-end à Paris

Imagine that you spent the weekend in Paris. Pierre is asking what you did. Answer his questions affirmatively.

Modèle: Est-ce que tu as passé le week-end à Paris?
Oui, j'ai passé le week-end à Paris.

1. Est-ce que tu es arrivé(e) vendredi soir? #
Oui, je suis arrivé(e) vendredi soir.

2. Est-ce que tu as visité la Tour Eiffel? #
Oui, j'ai visité la Tour Eiffel.

3. Est-ce que tu es passé(e) par l'Arc de Triomphe? #
Oui, je suis passé(e) par l'Arc de Triomphe.

4. Est-ce que tu as fait une promenade sur les Champs-Élysées? #
Oui, j'ai fait une promenade sur les Champs-Élysées.

Pierre has a few more questions. Now answer them negatively.

Modèle: Est-ce que tu es resté(e) à l'hôtel?
Non, je ne suis pas resté(e) à l'hôtel.

5. Est-ce que tu as visité le Centre Pompidou? #
Non, je n'ai pas visité le Centre Pompidou.

6. Est-ce que tu as vu les Invalides? #
Non, je n'ai pas vu les Invalides.

7. Est-ce que tu es passé(e) par Notre Dame? #
Non, je ne suis pas passé(e) par Notre Dame.

8. Est-ce que tu es allé(e) à l'Opéra? #
Non, je ne suis pas allé(e) à l'Opéra.

LESSON 8 QUIZ

Part I: Listening

CD 16, Track 4

A. Conversations

You will hear a series of short conversations. These conversations are incomplete. Select the most logical CONTINUATION of each conversation and circle the corresponding letter: a, b, or c. You will hear each conversation twice.

Écoutez

Conversation 1. Thomas téléphone a sa cousine Christine.

THOMAS:	Qu'est-ce que tu as fait le week-end dernier?
CHRISTINE:	J'ai organisé une boum, chez moi.
THOMAS:	Est-ce que ton copain Éric est venu?

Conversation 2. C'est dimanche soir. Nicolas parle à sa soeur Valérie.

NICOLAS:	Où es-tu allée cet après-midi?
VALÉRIE:	Je suis allée au stade avec Marc.
NICOLAS:	Pourquoi est-ce que tu n'es pas restée?

Conversation 3. Monsieur et Madame Charron parlent de leur fils Patrick qui est allé au cinéma.

M. CHARRON:	À quelle heure est rentré Patrick?
MME. CHARRON:	À dix heures et demie.
M. CHARRON:	Et qu'est-ce qu'il fait maintenant?

Conversation 4. Mélanie téléphone à son cousin Marc.

MÉLANIE:	Tu es sorti avec tes copains ce week-end?
MARC:	Non, je suis allé à l'hôpital.
MÉLANIE:	Vraiment? Qu'est-ce qui est arrivé?

Conversation 5. Caroline veut téléphoner à Pauline. C'est Jean-Pierre, le frère de Pauline, qui répond.

CAROLINE:	Dis, est-ce que je peux parler à Pauline?
JEAN-PIERRE:	Je suis désolé, mais elle est sortie.
CAROLINE:	Ah bon? Et quand est-ce qu'elle va rentrer?

Conversation 6. Philippe va chez son copain François. C'est Madame Rémi, la mère de François, qui répond.

PHILIPPE:	Bonjour, madame. Est-ce que François est ici?
MME RÉMI:	Non, il est allé au musée.
PHILIPPE:	Quand est-ce qu'il est parti?

Nom _____

Classe _____ Date _____

Discovering
FRENCH
Nouveau!

BLANC

QUIZ 8

Part I: Listening

A. Conversations (30 points: 5 points each)

You will hear a series of short conversations. These conversations are incomplete. Select the most logical CONTINUATION of each conversation and circle the corresponding letter: a, b, or c.

Conversation 1. Thomas téléphone à sa cousine Christine.

    a. Non, il est parti.

    b. Non, il n'a pas organisé de boum.

    c. Non, il est resté chez lui.

Conversation 2. C'est dimanche soir. Nicolas parle à sa soeur Valérie.

    a. J'ai un examen à préparer.

    b. Je ne suis pas fatiguée *(tired)*.

    c. J'ai fait du jogging.

Conversation 3. Monsieur et Madame Charron parlent de leur fils Patrick qui est allé au cinéma.

    a. Il sort.

    b. Il dort.

    c. Il n'est pas rentré.

Conversation 4. Mélanie téléphone à son cousin Marc.

    a. J'ai fait un tour à vélo.

    b. Je suis tombé de vélo.

    c. Je suis arrivé à deux heures.

Conversation 5. Caroline veut téléphoner à Pauline. C'est Jean-Pierre, le frère de Pauline, qui répond.

    a. Hier soir.

    b. Dans une heure.

    c. Il y a deux heures.

Conversation 6. Philippe va chez son copain François. C'est Madame Rémi, la mère de François, qui répond.

    a. Ce soir.

    b. Dans dix minutes.

    c. Il y a dix minutes.

Part II: Writing

B. Le voyage de Monique (30 points: 3 points each)

Monique, a Canadian student, spent a month in France last summer. Complete the description of her trip by using the PASSÉ COMPOSÉ of the suggested verbs. (NOTE: Some verbs use **avoir** and others use **être**.)

1. (voyager) Monique _____ en avion.

2. (arriver) Elle _____ à Paris le 12 juillet.

3. (rester) Elle _____ trois semaines dans cette ville.

4. (visiter) Elle _____ les monuments.

5. (monter) Elle _____ à la tour Eiffel.

6. (partir) Le 2 août, elle _____ pour la Normandie.

7. (rendre) Là-bas, elle _____ visite à des cousins.

8. (prendre) Elle _____ beaucoup de photos.

9. (revenir) Elle _____ à Paris le 7 août.

10. (rentrer) Elle _____ au Canada le 10 août.

Nom _____

Classe _____ Date _____

Discovering
FRENCH *Nouveau!*

B L A N C

Unité 2
Leçon 8

Lesson Quiz

C. Dialogues (20 points: 2 points each)

Complete the following dialogues by filling in each blank with the appropriate option.

1. —Qu'est-ce que tu fais ce soir?

    —Je _____ avec un copain. Nous allons au cinéma.   (sors / pars)

    —Est-ce que ton frère va venir avec vous?

    —Non, il va _____ à la maison.   (rester / entrer)

    —Est-ce qu'il va étudier?

    —Non, il va _____.   (partir / dormir)

2. —Où vas-tu _____ le week-end?   (passer / venir)

    —À la campagne, chez mon oncle Guillaume.

    —Quand est-ce que tu vas _____?   (partir / sortir)

    —Vendredi soir.

    —Et quand est-ce que tu vas _____?   (rester / rentrer)

    —Dimanche après-midi.

3. —Ton cousin Julien est _____ ici ce matin.   (venu / devenu)

    —Ah bon? À quelle heure est-ce qu'il est _____?   (arrivé / allé)

    —À midi.

    —Et quand est-ce qu'il est _____?   (entré / parti)

    —_____ une heure.   (Il est / Il y a)

D. Expression personnelle (20 points: 5 points each)

Describe a recent trip (real or imaginary). Use the PASSÉ COMPOSÉ.

Mention . . .

• where you went

• how many days

   you spent there

• what you did

• when you came back

UN VOYAGE
• _____
• _____
_____
• _____
_____
• _____

UNITÉ 2
Le week-end, enfin!

CULTURAL CONTEXT: Weekend activities

FUNCTIONS:

- talking about weekend plans
- getting from one place to another
- narrating and sequencing past activities
- getting around the city (by subway, on foot)

RELATED THEMES:

- helping at home
- country scenes and farm animals
- time expressions

 **POUR** *COMMUNIQUER*   **Communicative Expressions and Thematic Vocabulary**

Discovering
FRENCH
Nouveau!

B L A N C

Interviews

In this section you will be interviewed by different people who want to get to know you better. If you wish, you may write the answers to the interview questions in the space provided.

....

Interview 1

Let's talk about what you did after school yesterday.

- **À quelle heure es-tu rentré(e) chez toi?**
- **À quelle heure as-tu dîne?**
- **Après le dîner, est-ce que tu as aidé ton père ou ta mére?**
  (Qu'est-ce que tu as fait?)
- **Qu'est-ce que tu as regardé à la télé?**

APRÉS L'ÉCOLE
- _____
- _____
- _____
- _____

....

Interview 2

Let's talk about what you did this morning.

- **À quelle heure es-tu parti(e) de chez toi?**
- **Comment es-tu venu(e) à l'école?**
  (à pied? à vélo? en bus?)
- **À quelle heure es-tu arrivé(e) à l'école?**
- **Est-ce que tu as eu un cours d'anglais?**

CE MATIN
- _____
- _____
- _____
- _____

Nom _____

Classe _____ Date _____

Unité 2
Resources

Communipak

Discovering
FRENCH
Nouveau!

B L A N C

Interview 3

Tell me about the last time you
went to a movie.

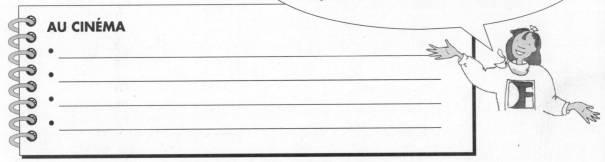

• **Quel film as-tu vu?**
• **Dans quel cinéma as-tu ce film?**
• **Qu'est-ce tu as fait après le film?**
• **À quelle heure es-tu rentré(e) chez toi?**

AU CINÉMA

• _____
• _____
  _____
• _____

Interview 4

Tell me about the last time you
went out with a friend.

• **Avec que es-tu sorti(e)?**
• **Oú êtes-vous allé(e)s?**
• **Qu'est-ce que vous avez fait?**
• **À quelle heure es-tu renté(e) chez toi?**

RENDEZ-VOUS

• _____
• _____
  _____
• _____

Nom _____

Classe _____ Date _____

Interview 5

Tell me about the last time you
went to the country.

- **Comment es-tu allé(e) lá-bas?
  (á vélo? en auto?)**
- **Qu'est-ce que tu as fait?**
- **Qu'est-ce que tu as vu?**
- **Est-ce que tu as pris des photos?
  (de quoi?)**

À LA CAMPAGNE

- _____
- _____
- _____
- _____

Interview 6

Tell me about the last game you went to.

- **À quel match as-tu assisté?**
- **Avec qui es-tu allé(e) á ce match?**
- **Qui a gagné?**
- **Qui a perdu?**

UN MATCH

- _____
- _____
- _____
- _____

Nom _____

Classe _____ Date _____

Interview 7

Can you remember when the
last time was that you did the
following things?

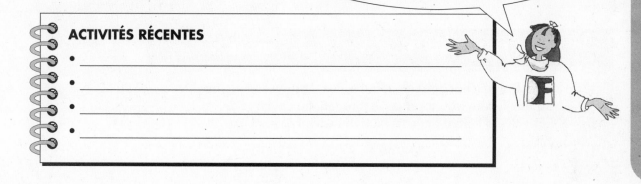

- **Quand as-tu dîné dans un restaurant?**
  (hier? samedi dernier? le mois dernier?)
- **Quand es-tu allé(e) au cinéma?**
- **Quand es-tu allé(e) à la piscine?**
- **Quand as -tu assisté à un match de**
  baseball?

ACTIVITÉS RÉCENTES

- _____
- _____
- _____
- _____

Interview 8

Do you know when you learned to do
certain things?

- **À quel âge as-tu appris à marcher?**
  (à l'âge d'un an? à l'âge de 15 mois?)
- **À quel âge as-tu appris à parler?**
- **À quel âge as-tu appris à nager?**
- **Où as-tu appris à nager?**

L'ENFANCE *(Childhood)*

- _____
- _____
- _____
- _____

Nom _____

Classe _____ Date _____

Tu as la parole

Read the instructions on the cards below and give your partner the corresponding information in French. Take turns reading your cards and listening to each other.

TU AS LA PAROLE 1   UNITÉ 2

You are an exchange student in France. Last weekend your host family took you for a drive through the countryside. Name five different animals that you saw. For example . . .

- horses
- ducks
- squirrels

- cows
- chickens
- birds

- pigs
- rabbits
- fish

TU AS LA PAROLE 2   UNITÉ 2

Mention four things that you often do at home—two things that you *like* to do and two that you *do not like* to do. For example . . .

- help your parents
- wash the car
- put away your things
- watch TV

- pick up your room
- clean the garage
- do the cooking
- do babysitting

TU AS LA PAROLE 3   UNITÉ 2

Imagine that the weather has been beautiful for the past few days. Mention two things that you *did* and two things that you *did not* do recently. For example, did you . . .

- go for a walk in the forest
- go for a bike ride
- go horseback-riding
- go to the country
- swim in a lake

- have a picnic
- go fishing
- go for a ride in the car
- visit a farm
- go for a hike

Nom _____

Classe _____ Date _____

Discovering
FRENCH
Nouveau!

BLANC

Unité 2
Resources

Communipak

TU AS LA PAROLE 4   UNITÉ 2

I hear you went out with a few friends last Saturday night.
Tell me . . .

- with whom you went out
- where you and your friends went
- what you did
- what time you got home

TU AS LA PAROLE 5   UNITÉ 2

Tell me about the last time you went to the mall. Mention . . .

- where you went
- what you bought
- whom you met
- what you did with your friends

TU AS LA PAROLE 6   UNITÉ 2

Imagine you went to New York last summer. Tell me about
your trip. Mention . . .

- if you stayed in a hotel or with relatives
- what monuments you visited
- what else you did
- if you liked the city

Nom _____

Classe _____ Date _____

Conversations

Read the instructions on the cards below and ask your partner the questions in French. Your partner will play the role of the person in the situation and answer the questions. Take turns asking the questions and answering them.

CONVERSATION 1   **UNITÉ 2**

You would like to know more about the party your partner went to recently.

◆━━━━━━━━━━━━━━━━━━━━━━━━━━━━◆

Ask your partner . . .

- who organized the party
- how many people **(combien de personnes)** came
- whom he/she met at the party
- at what time the party finished

CONVERSATION 2   **UNITÉ 2**

It was very warm last weekend and your partner went to the beach.

◆━━━━━━━━━━━━━━━━━━━━━━━━━━━━◆

Ask your partner . . .

- at what time he/she went to the beach
- if he/she took a sunbath
- if he/she went for a walk
- when he/she came back

Nom _____

Classe _____ Date _____

Discovering
FRENCH
Nouveau!

B L A N C

Unité 2
Resources

Communipak

CONVERSATION 3   UNITÉ 2

Last summer, your partner and a cousin visited the province of Quebec.

◆━━━━━━━━━━━━━━━━━━━━━◆

Ask your partner . . .

- if they went to Montreal
- if they spoke French or English
- if they stayed in a hotel or with friends
- if they liked their trip (your trip **= votre voyage**)

CONVERSATION 4   UNITÉ 2

Your partner has just returned from Paris and you want to know more about his/her trip.

◆━━━━━━━━━━━━━━━━━━━━━◆

Ask your partner . . .

- if he/she met French students
- if he/she took the **métro**
- if he/she went up the Eiffel Tower
- what he/she bought
- if he/she bought something for you (and if so, what?)

CONVERSATION 5   UNITÉ 2

On Monday morning, your partner comes to class with a cast on his/her arm.

◆━━━━━━━━━━━━━━━━━━━━━◆

Ask your partner . . .

- if he/she had an accident
- if he/she fell from his/her bicycle
- if he/she went to the hospital

Discovering
FRENCH
Nouveau!

B L A N C

CONVERSATION 6   UNITÉ 2

Last weekend, your partner had a friend visiting from France.

◆━━━━━━━━━━━━━━━━━━━━━━━━━━━━━━◆

Ask your partner . . .

- if they went out
- where they went
- where they had lunch
- what they did after

CONVERSATION 7   UNITÉ 2

*Your partner is spending a few days at your home. You had to go on an errand. Now you are back and want to know what happened while you were away. (Your partner will answer using **il y a** + expression of time.)*

◆━━━━━━━━━━━━━━━━━━━━━━━━━━━━━━◆

Ask your partner . . .

- when your cousin Lucie phoned
- when your brother came back from school
- when your mother left
- when the mailman (**le facteur**) came

CONVERSATION 8   UNITÉ 2

You are exploring an abandoned farmhouse with your friend, when suddenly your flashlight goes out.

◆━━━━━━━━━━━━━━━━━━━━━━━━━━━━━━◆

Ask your partner (who will answer either negatively or imaginatively) . . .

- if he/she hears something
- if he/she sees something
- if he/she hears someone
- if he/she sees someone

Discovering French, Nouveau! Blanc

Nom _____

Classe _____ Date _____

Discovering FRENCH *Nouveau!*

B L A N C

Unité 2 Resources

Communipak

Échanges

1 You are trying to find out if your friends did the same things you did last weekend.

- In the chart below, write three things that you did last weekend.
- Select five classmates and ask each one if he/she did the same things as you.

- Record their answers.
  —Put ✔ a for an affirmative response.
  —Put an ✘ for a negative response.

Dis, Thérèse, est-ce que tu es allée au cinéma le week-end dernier?

Non, je ne suis pas allée au cinéma.

Est-ce que tu . . . ?

Mes activités	▶Thérèse	1	2	3	4	5
▶ Je suis allée au cinéma	✘					
•						
•						
•						

- How many of your classmates did at least two of the things you did last weekend?

Discovering
FRENCH
Nouveau!

B L A N C

Échanges

2 Compare what different classmates did last weekend.

- Select five classmates and ask each one.
  —where he/she went
  —what he/she did
  —how much he/she spent

 • Record the results of the survey in the information card below.

François, où es-tu allé?

Qu'est-ce que tu as fait?

Combien as-tu dépensé?

Je suis allé dans les magasins.

J'ai acheté une chemise.

J'ai dépensé dix dollars.

Nom	Où?	Quoi?	Combien?
▶ François	dans les magasins	acheter une chemise	10 dollars
1			
2			
3			
4			
5			

- Use the results of this survey to determine who went the furthest away and who spent the least money.

La personne qui est allée le plus loin: _____

La personne qui a dépensé le moins d'argent: _____

Unité 2 Resources
Communipak

Discovering French, Nouveau! Blanc

Nom _____

Classe _____ Date _____

Échanges

3 You are doing a survey of what young Americans do after dinner.

- Select four activities from the list and write them, in French, in the chart below. (If you wish, you may substitute other activities.)

- Then select three classmates and ask each one:
  —if he/she did each activity
  —if so, for how long

 • Record their answers in the information card below, and add the total time spent on each activity.

- phone
- help your brothers/sisters
- wash the dishes
- help your parents
- study French
- do the homework
- listen to the radio
- watch TV

Caroline, tu as écouté la radio hier soir?

Pendant combien de temps?

Oui, j'ai écouté la radio

Pendant quarante minutes.

ACTIVITÉS	▶ Caroline	1	2	3	Temps total
▶ écouter la radio	40 mn.				
1					
2					
3					
4					

 • Use the results of this survey to determine the most popular activity.

L'activité la plus populaire: _____

Nom _____

Classe _____ Date _____

Tête à tête

1 Samedi et dimanche

a

📝 Choose an activity for each time period of the weekend. Check the corresponding box.

■ When you are ready, answer your partner's questions.

> • Samedi matin, [j'ai rangé ma chambre].

	SAMEDI	**DIMANCHE**
matin	❑ faire les courses ❑ ranger ma chambre ❑ faire un tour en ville	❑ nettoyer le garage ❑ aller à l'église ❑ rendre visite à mon grand-père
après-midi	❑ laver la voiture ❑ faire une promenade à vélo ❑ aller à un concert	❑ assister à un match de foot ❑ voir un film à la télé ❑ aller à un concert
soir	❑ rester à la maison ❑ sortir avec un copain ❑ dîner chez mes cousins	❑ faire mes devoirs ❑ aider ma mère ❑ aller au restaurant

b

It's Monday morning.

■ Ask your partner how he/she spent his/her time during the various time periods of the weekend.

> • Qu'est-ce que tu as fait samedi matin?

 Record his/her answers below.

	SAMEDI	**DIMANCHE**
matin		
après-midi		
soir		

Nom _____

Classe _____ Date _____

**Discovering
FRENCH** *Nouveau!*

B L A N C

**Unité 2
Resources**

Communipak

Tête à tête

Élève B

1 Samedi et dimanche

a

> • Qu'est-ce que tu as fait samedi matin?

It's Monday morning.

■ Ask your partner how he/she spent his/her time during the various time periods of the weekend.

Record his/her answers below.

	SAMEDI	DIMANCHE
matin		
après-midi		
soir		

b

Choose an activity for each time period of the weekend. Check the corresponding box.

> • Samedi matin, [j'ai aidé ma mère].

■ When you are ready, answer your partner's questions.

	SAMEDI	DIMANCHE
matin	❑ laver mes vêtements ❑ aider ma mère ❑ aller au supermarché	❑ ranger mes affaires ❑ aller chez un copain ❑ rester à la maison
après-midi	❑ laller à la campagne ❑ faire des achats ❑ travailler dans le jardin	❑ faire un pique-nique ❑ aller en ville ❑ rencontrer des amis
soir	❑ aller à une boum ❑ assister à un concert ❑ voir une comédie	❑ préparer mes leçons ❑ sortir ❑ aller au cinéma

Nom _____

Classe _____ Date _____

Tête à tête

2 Un samedi d'été

a

Imagine that it's summer vacation.

Plan your Saturday schedule by checking one option for each item. (You may add an option of your own.)

- **Où?**
  - ❏ à la campagne
  - ❏ à la plage
  - ❏ à la piscine
  - ❏ ?

- **Comment?**
  - ❏ à vélo
  - ❏ en bus
  - ❏ à pied
  - ❏ ?

- **Heure de départ**
  - ❏ 9 heures du matin
  - ❏ midi
  - ❏ 2 heures de l'après-midi
  - ❏ ?

- **Activités**
  - ❏ faire un pique-nique
  - ❏ prendre un bain de soleil
  - ❏ prendre des photos
  - ❏ ?

- **Heure de retour**
  - ❏ 4 heures de l'après-midi
  - ❏ 5 heures de l'après-midi
  - ❏ 6 heures du soir
  - ❏ ?

- **Activités du soir**
  - ❏ faire les devoirs
  - ❏ voir un film à la télé
  - ❏ sortir
  - ❏ ?

Now, imagine that it's Sunday.

■ Answer your partner's questions

b

Imagine that it's summer vacation. You want to know what your friend did yesterday.

■ Ask your partner questions using the words on the note pad below.

• Où est-ce que tu es allé(e)?

Record your partner's answers on the pad.

- **où / aller?**
  _____

- **comment / aller là-bas?**
  _____

- **à quelle heure / partir?**
  _____

- **qu'est-ce que / faire?**
  _____

- **à quelle heure / rentrer chez toi?**
  _____

- **qu'est-ce que / faire après le dîner?**
  _____

Je suis allé(e) [à la piscine.]

Unité 2 Resources
Communipak

Discovering French, Nouveau! Blanc

Nom _____

Classe _____ Date _____

Discovering FRENCH *Nouveau!*

B L A N C

Élève B

Unité 2
Resources
Communipak

Tête à tête

2 | Un samedi d'été

a

Imagine that it's summer vacation. You want to know what your friend did yesterday.

■ Ask your partner questions using the words on the note pad below.

> • Où est-ce que tu es allé(e)?

Record your partner's answers on the pad.

- **où / aller?**

  _____

- **comment / aller là-bas?**

  _____

- **à quelle heure / partir?**

  _____

- **qu'est-ce que / faire?**

  _____

- **à quelle heure / rentrer chez toi?**

  _____

- **qu'est-ce que / faire après le dîner?**

  _____

b

Imagine that it's summer vacation.

Plan your Saturday schedule by checking one option for each item. (You may add an option of your own.)

- **Où?**
  - ❑ à la campagne
  - ❑ à la plage
  - ❑ à la piscine
  - ❑ ?

- **Comment?**
  - ❑ à vélo
  - ❑ en bus
  - ❑ à pied
  - ❑ ?

- **Heure de départ**
  - ❑ 9 heures du matin
  - ❑ midi
  - ❑ 2 heures de l'après-midi
  - ❑ ?

- **Activités**
  - ❑ faire un pique-nique
  - ❑ prendre un bain de soleil
  - ❑ prendre des photos
  - ❑ ?

- **Heure de retour**
  - ❑ 4 heures de l'après-midi
  - ❑ 5 heures de l'après-midi
  - ❑ 6 heures du soir
  - ❑ ?

- **Activités du soir**
  - ❑ faire les devoirs
  - ❑ voir un film à la télé
  - ❑ sortir
  - ❑ ?

Now, imagine that it's Sunday.

> Je suis allé(e) [à la piscine.]

■ Answer your partner's questions.

Nom _____

Classe _____ Date _____

Discovering
FRENCH
Nouveau!

BLANC

Élève A

Tête à tête

3 Un voyage

a

Imagine that you are going to spend a week in Paris.

Plan your trip by choosing one activity for each day of the week. Write the number of the activity next to the day you have chosen.

1	monter à la Tour Eiffel
2	voir le Musée d'Orsay
3	aller à Notre-Dame
4	dîner dans un bon restaurant
5	sortir avec des copains français
6	faire des achats
7	aller au Quartier Latin

JOUR	ACTIVITÉ
lundi ▶	_____
mardi ▶	_____
mercredi ▶	_____
jeudi ▶	_____
vendredi ▶	_____
samedi ▶	_____
dimanche ▶	_____

■ Now answer your partner's questions.

Lundi, [je suis allé(e) à Notre-Dame].

Unité 2 Resources
Communipak

b

Your partner spent a week in Quebec City and you want to know all about his/her trip.

■ Ask your partner what he/she did every day of the week.

Qu'est-ce que tu as fait lundi?

Record the information in the calendar below.

JOUR	ACTIVITÉ
lundi ▶	_____
mardi ▶	_____
mercredi ▶	_____
jeudi ▶	_____
vendredi ▶	_____
samedi ▶	_____
dimanche ▶	_____

Nom _____

Classe _____ Date _____

Discovering
FRENCH
Nouveau!

B L A N C

Unité 2
Resources

Communipak

Tête à tête

Élève B

3 Un voyage

a

Your partner spent a week in Paris and you want to know all about his/her trip.

■ Ask your partner what he/she did every day of the week.

> Qu'est-ce que tu as fait lundi?

Record the information in the calendar below.

JOUR	ACTIVITÉ
lundi ▶	
mardi ▶	
mercredi ▶	
jeudi ▶	
vendredi ▶	
samedi ▶	
dimanche ▶	

b

Imagine that you are going to spend a week in Quebec City.

Plan your trip by choosing one activity for each day of the week. Write the number of the activity next to the day you have chosen.

1	faire une promenade dans le Vieux Québec	**2**	sortir avec une copine canadienne
3	voir un match de hockey	**4**	visiter les plaines d'Abraham
5	aller à l'île d'Orléans	**6**	monter au Château Frontenac

7	acheter des souvenirs

JOUR	ACTIVITÉ
lundi ▶	
mardi ▶	
mercredi ▶	
jeudi ▶	
vendredi ▶	
samedi ▶	
dimanche ▶	

■ Now answer your partner's questions.

> Lundi, [je suis allé à l'île d'Orléans].

Unité 2 Resources

Communipak

Discovering FRENCH *Nouveau!*

BLANC

Tête à tête

Élève A

4 Détectives

a

You and your partner are detectives trying to track down Louis Filou who is wanted for burglary. Today, as you followed him, he went to three different places.

Indicate the order in which he went to each place by writing 1, 2, or 3 in the box. Then choose one thing that he did at each place and check the appropriate box.

(30 minutes)
- ❑ **rencontrer un ami**
- ❑ **monter au troisième étage** *(floor)*
- ❑ **prendre une enveloppe à la réception**

(une heure)
- ❑ **téléphoner**
- ❑ **descendre aux toilettes**
- ❑ **jouer aux jeux vidéo**

(20 minutes)
- ❑ **acheter des lunettes naires**
- ❑ **mettre une fausse barbe** *(false beard)*
- ❑ **sortir par l'entrée des employés**

■ Now answer your partner's questions.

> • [D'abord] il est allé . . .
> • Il est resté . . .
> • Il . . .

b

With your partner you are investigating Rose Lescrot who is suspected of shoplifting.

■ Call your partner, who is following Rose, and ask him/her...

- where Rose went
- how long she stayed there
- what she did there

> • **Où est-ce que Rose est allée [d'abord]?**
> • **Combien de temps est-elle restée là-bas?**
> • **Qu'est-ce qu'elle a fait là-bas?**

Record the information on the pad below.

d'abord	après	finalement
où:	où:	où:
combien de temps:	combien de temps:	combien de temps:
activité:	activité:	activité:

Discovering
FRENCH
Nouveau!

BLANC

Élève B

Tête à tête

4 Détectives

a

With your partner you are investigating Louis Filou who is suspected of burglary.

■ Call your partner, who is following Louis, and ask him/her...

- where Louis went
- how long he stayed there
- what he did there

> • Où est-ce que Louis est allé [d'abord]?
> • Combien de temps est-il resté là-bas?
> • Qu'est-ce qu'il a fait là-bas?

Record the information on the pad below.

d'abord	après	finalement
où:	où:	où:
combien de temps:	combien de temps:	combien de temps:
activité:	activité:	activité:

b

You and your partner are detectives trying to track down Rose Lescrot who is wanted for shoplifting. Today, as you followed her, she went to three different places.

Indicate the order in which she went to each place by writing 1, 2, or 3 in the box. Then choose one thing that she did at each place and check the appropriate box.

(une heure et demie)
- ❑ dîner
- ❑ prendre des photos
- ❑ aller à la cuisine

(30 minutes)
- ❑ prendre une caméra
- ❑ mettre un appareil-photo dans son sac
- ❑ parler à une vendeuse

(40 minutes)
- ❑ aller à la bibliothèque
- ❑ descendre aux toilettes
- ❑ téléphoner

■ Now answer your partner's questions.

> • [D'abord] elle est allée . . .
> • Elle est restée . . .
> • Elle . . . ?

Nom _____

Classe _____ Date _____

Discovering
FRENCH
Nouveau!

BLANC

Communicative Expressions and Thematic Vocabulary

Pour communiquer

Talking about past events

Qu'est-ce qui est arrivé? *What happened?*

  J'ai attendu mon ami. *I waited for my friend.*

  Il n'est pas venu. *He didn't come.*

Saying how long ago something happened

Marc a téléphoné il y a une heure. *Marc phoned an hour go.*

Mots et expressions

En métro

un billet (de métro)	*subway ticket*	monter	*to get on*
un ticket (de métro)	*subway ticket*	descendre	*to get off*

À la campagne

un arbre	*tree*	la campagne	*country(side)*
un champ	*field*	une ferme	*farm*
un lac	*lake*	une feuille	*leaf*
		une fleur	*flower*
un bain de soleil	*sunbath*	une forêt	*forest*
		une plante	*plant*
		une prairie	*prairie*
		une rivière	*river*

Les animaux

un canard	*duck*	une poule	*hen*
un cheval	*horse*	une vache	*cow*
un cochon	*pig*		
un écureuil	*squirrel*		
un lapin	*rabbit*		
un oiseau (des oiseaux)	*bird*		
un poisson	*fish*		

Verbes réguliers

aider	*to help*
assister à	*to attend*
bronzer	*to get a tan*
chercher	*to look for*
laver	*to wash*
nettoyer (je nettoie)	*to clean*
passer	*to spend (time)*
ranger	*to pick up; to put away*
rencontrer	*to meet*
rentrer	*to come back; to go home*
rester	*to stay*
retrouver	*to meet*
travailler	*to work*

Verbes irréguliers

mettre	*to put, put on*
permettre	*to let, allow, permit*
promettre	*to promise*
partir	*to leave*
sortir	*to go out*
dormir	*to sleep*
prendre	*to take*
apprendre (à)	*to learn*
comprendre	*to understand*
voir	*to see*
aller voir	*to go see*

Expressions avec aller

aller à la pêche	*to go fishing*
aller à pied	*to walk*
aller dans les magasins	*to go shopping*

Expressions avec faire

faire des achats	*to go shopping*
faire un pique-nique	*to have a picnic*
faire une promenade	*to go for a walk, ride*
faire une randonnée	*to for a hike, long ride*
faire un tour à cheval	*to go for a horseback ride*
faire un tour à pied	*to go for a walk*
faire un tour à vélo	to go for a bike ride

Verbes conjugués avec être

aller	*to go*	rentrer	*to return, go home, to get back*
arriver	*to arrive; to happen*	rester	*to stay*
descendre	*to go down; to get off*	retourner	*to return*
devenir	*to become*	revenir	*to come back*
entrer	*to enter, come in*	sortir	*to go out, get out*
monter	*to go up; to get on*	tomber	*to fall*
partir	*to leave*	venir	*to come*
passer	*to pass, go by*		

Expressions affirmatives et négatives

quelqu'un	*somebody*	ne . . . personne	nobody
quelque chose	*something*	ne . . . rien	nothing
déjà	*already, ever*	ne . . . jamais	never

Expressions de temps

après	*after*	hier	*yesterday*
avant	*before*	hier matin	*yesterday morning*
d'abord	*first*	hier soir	*last night, yesterday evening*
enfin	*at last*		
ensuite	*then*	l'été dernier	*last summer*
finalement	*finally*	l'année dernière	*last year*
pendant	*during*		
		maintenant	*now*
		aujourd'hui	*today*
		ce matin	*this morning*
		ce mois-ci	*this month*
		ce soir	*tonight*
		demain	*tomorrow*
		demain après-midi	*tomorrow afternoon*
		lundi prochain	*next Monday*
		la semaine prochaine	*next week*

Nom _____

Classe _____ Date _____

Discovering
FRENCH
Nouveau!

B L A N C

Unité 2
Resources

Activités pour tous TE
Reading

UNITÉ 2 Le week-end enfin!

Lecture

A # Déjeuners et dîners en croisiére

■ DÉJEUNNER EN CROISIÉRE

Toute l'année, sur réservation

Embarquement : 12 h 15   Retour : 14 h 45

Service Étoile : 49€

Service Select : 57€   Service Premier : 69€

Menu Enfant (- de 12 ans) : 30,5€ (Etoile & Select uniquement)

- le Café Marine, notre restaurant à quai, vous reçoit tous les jours de 10h à 23h,
- un village de boutiques conviviales permettant aux visiteurs de se restaurer ou de patienter agréablement,
- une terrasse estivale,
- un parking gratuit,
- un bureau de change.

Plan d'accès au site

Port de La Bourdonnais - 75007 Paris
Tél. : 01 44 11 33 44 - Fax : 01 45 56 07 88
Réservation restauration : 01 44 11 33 55
www.bateauxparisiens.com

*Ces prix pourront être modifiés sans préavis. Tenue correcte exigée, ni jean, ni baskets.

Compréhension

1. Près de quel monument parisien prend-on le bateau? *près de la tour Eiffel*

2. Quels sont les deux repas qu'on peut prendre en croisière?

   le déjeuner et le dîner

3. Faut-il faire une réservation?

   Oui, le week-end.   Non, jamais.   (Oui, toujours.)

4. À quelle heure part le dîner en croisière?

   12h15   14h45   (20h00)   23h00

5. Combien de temps dure le dîner en croisière? *trois heures*

6. Qu'est-ce que les touristes peuvent faire en attendant le bateau?

   Ils peuvent faire des achats et prendre un café.

Qu'est-ce que vous en pensez?

1. Comment dit-on **without any prior notification** en français?

   sans préavis

2. L'expression **Tenue correcte exigée, ni jean ni baskets** veut dire, en anglais:

   Proper attire. No jeans or sneakers allowed.

Discovering
FRENCH
Nouveau!

BLANC

B

PARIS L'OpenTour

Paris L'OpenTour, 3 circuits pour découvrir le Paris que vous aimez… historique, romantique, moderne… ou le Paris shopping ! Montez et descendez librement sur tout le parcours pour tout visiter, pour tout voir à votre rythme. Profitez d'une vue exceptionnelle depuis le pont supérieur du bus, c'est unique, c'est L'OpenTour !

- Pass valable 1 ou 2 jours consécutifs sur les 3 circuits.
- Fréquence des bus : de 10 à 30 mn.
- Plus de 40 points d'arrêt tout au long des circuits.
- Commentaire original en français et en anglais.
- Écouteurs remis à chaque passager.
- 7 jours sur 7, toute l'année.

Où acheter votre Pass :
- dans les bus L'OpenTour (verts et jaunes),
- à "La Boutique" située 13, rue Auber, Paris 9ᵉ,
- aux kiosques des arrêts Malesherbes et Anvers,
- à l'Office de Tourisme de Paris (127, av. des Champs Elysées),
- au service touristique RATP, place de la Madeleine,
- au Syndicat d'Initiative de Montmartre,
- à votre hôtel ou dans les agences de voyage,
- aux principales escales Batobus (d'avril à octobre).

Utilisation du Pass et des écouteurs :
Votre Pass est strictement personnel. Il doit être présenté au conducteur à chaque nouvelle montée dans le véhicule.

Compréhension

1. Quel est un synonyme de **circuit**?

   route   rue
   Pass   jour

2. Quels sont les endroits où on peut acheter un Pass?

   hôtel   monuments
   bus   L'OpenTour
   Office de Tourisme

3. Quelles sont les couleurs des bus de **L'OpenTour?**

   rouge   orange
   jaune   bleu
   vert

4. Quels sont les trois circuits de **L'OpenTour?**

   historique, romantique et moderne

5. Combien de fois peut-on descendre sur le circuit?

   quarante

6. Quand est-ce que **L'OpenTour** est fermé?

   jamais

Qu'est-ce que vous en pensez?

1. Comment dit-on "valid" en français?

   valable

2. Que veut dire **gratuit?**

   free

Nom _____

Classe _____ Date _____ _____

Discovering
FRENCH *Nouveau!*

B L A N C

Unité 2
Resources

Activités pour tous TE
Reading

C

Centre des monuments nationaux

Visites conférences :
7, boulevard Morland 75004 Paris
Tél. 01.44.54.19.30 - 01.44.54.19.35
Fax. 01 44 54 19 31
www. monum.fr

Pour recevoir chez vous tous les deux mois le bulletin des visites-conférences et toutes les expositions à Paris, abonnez-vous à **Arts Programme :** 12,20 € les 6 numéros, par chèque à l'ordre des Editions Arts Programme Service Abonnements 11 avenue de l'Europe 78130 Les Mureaux. Tél. 01.30.22.45.50 (en vente également dans les kiosques, librairies spécialisées et librairies des musées parisiens : 2,30 € le n°)

Les visites ne font pas l'objet d'une inscription préalable sauf dans les cas précisés dans le programme. Il suffit de se présenter quelques minutes avant l'heure prévue au lieu indiqué.

Les visites sont en principe limitées à 40 personnes. Les tickets sont délivrés par ordre d'arrivée au rendez-vous.

Tarif des visites : 8 € - Tarif réduit : 6 € (jeunes de moins de 25 ans)

Des visites-conférences peuvent être organisées pour des groupes d'adultes (associations, clubs, comités d'entreprises) et des groupes scolaires, en français et en langues étrangères.

• • • • • • Mardi 1er janvier

Circuit en car - **Les murs peints de Paris** : ils sont les couleurs de la ville, qui naissent, vivent et disparaissent, remplacés par de nouvelles oeuvres. Notre itinéraire privilégiera l'Est parisien, avec ses peintures anciennes et récentes. 14h00 : (sur inscription préalable au 01.44.54.19.30 - 01.44.54.19.35) (21,34 € - 150 F) (C. Siabas) (5)

• • • • • Mercredi 2 janvier

La Villa Laroche de Le Corbusier et la rue Mallet Stevens : l'architecture des années 1920 dans le quartier d'Auteuil. 14h15 : sortie métro Jasmin (J. Gazquez Romero) (1) (2)

Passages du Palais Royal : histoire du célèbre palais, de ses passages alentours et de ses illustres habitants d'hier et d'aujourd'hui. 14h30 : devant les grilles du Conseil d'Etat (M.D. Lelong)

Compréhension

1. Où faut-il s'inscrire pour recevoir un bulletin d'information tous les deux mois?

   à Arts Programme
   _____

2. Où peut-on aussi acheter les bulletins?

   dans les kiosques, les librairies spécialisées, et les librairies des musées parisiens
   _____

3. Sur quoi est-ce que les bulletins donnent de l'information?

   sur des visites-conférences
   _____

4. Faut-il faire une réservation avant les visites?

   non, pas d'habitude
   _____

5. Quel est l'âge maximum qu'on peut avoir pour le tarif réduit?

   25 ans
   _____

6. Qui peut organiser des visites-conférences?

   des associations, des clubs, des comités d'entreprise et des groupes scolaires
   _____

Qu'est-ce que vous en pensez?

1. Qu'est-ce qu'on voit si on choisit **Passages du Palais Royal?**

   des portraits
   _____

2. Qu'est-ce qu'on voit si on choisit **Les murs peints de Paris?**

   des peintures modernes
   _____

Discovering
FRENCH
Nouveau!

B L A N C

Unité 2
Resources

Workbook TE
Reading and Culture Activities

UNITÉ 2   Reading and Culture Activities

Aperçu culturel

Prenez votre manuel de classe et relisez les pages 100 et 101.
Ensuite, complétez les paragraphes avec les mots suggérés.

campagne	cours	jeunes
bande	magasins	promenade

Philippe et sa soeur Nathalie habitent à Annecy et ils vont au
lycée Berthollet. Samedi après-midi, Nathalie est allée à la
Maison des __Jeunes_____ où elle suit un
__cours_____ de théâtre. Après, elle a fait les
__magasins_____ avec une copine, mais elle n'a rien
acheté. Philippe, lui, est allé au café où il a retrouvé ses copains.
Sa _____ de copains.

Philippe et Nathalie ont passé le dimanche avec leurs parents.
Ils sont allés à la __campagne_____ et ils ont fait une
longue __promenade_____ dans la forêt. Ils sont rentrés à la
maison pour le dîner.

LES MAISONS
DES JEUNES
ET DE LA CULTURE
MJC des Marquisats : 52, av. des
Marquisats, ℡ 04 50 45 08 80
MJC de Novel : place Annapurna,
℡ 04 50 23 06 12
MJC des Romains : 28 avenue du
Stade, ℡ 04 50 57 30 97
Maison de l'Enfance :
place des Rhododendrons,
℡ 04 50 57 33 12

FLASH culturel

La Tour Eiffel reçoît 5 millions de visiteurs par an. C'est le
monument parisien le plus visité par les touristes. La fameuse
tour métallique a été construite par Gustave Eiffel, le pionnier
de l'utilisation du fer *(iron)* dans la construction des grandes
structures.

- À la construction de quel monument américain est-ce que
  Gustave Eiffel a participé?

  A. Le Brooklyn Bridge.   C. L'Arche de Saint Louis.
  B. L'Empire State Building.   D. La Statue de la Liberté.

Pour vérifier votre réponse, allez à la page 74

URB
p. 179

Discovering French, Nouveau! Blanc   **Workbook Reading and Culture Activities**   Unité 2   73

Nom _____

Classe _____ Date _____

Discovering FRENCH Nouveau!

BLANC

DOCUMENTS

Read the following documents and select the correct completion for each of the accompanying statements. Place a check in the corresponding box.

1. La personne qui a reçu *(received)* ce ticket.
   - ☑ a fait des achats.
   - ☐ est allée au café.
   - ☐ a pris le métro.

```
————FNAC  MONTPARNASSE————

LIVRE              520        10,50€
LIVRE              529        11,50€
VIDEOCASSETTE      612        22,50€

                   TOTAL      44,00€


        CB   5201001907       44,00€
        ******************
663 CPT-1  3507/037  22/12/04  18:00
```

2. On peut voir ce panneau à l'entrée d'une plage. Il signifie qu'on ne peut pas . . .
   - ☐ prendre des bains de soleil.
   - ☑ aller à la pêche.
   - ☐ faire de promenade en bateau *(boat)*.

3. Cette annonce intéresse les gens qui veulent . . .
   - ☐ écouter du jazz moderne.
   - ☐ assister à une compétition de danse.
   - ☑ suivre *(take)* un cours de danse.

FLASH culturel: *Réponse*

D. Gustave Eiffel (1832–1923), surnommé *(nicknamed)* «le magicien du fer», a construit de nombreux ponts *(bridges)* métalliques en Europe. Il a aussi construit la structure interne de la Statue de la Liberté.

Nom _____

Classe _____ Date _____

Discovering
FRENCH
Nouveau!

BLANC

Unité 2
Resources

Workbook TE
Reading and Culture Activities

4. On va au Palais des Sports si on veut . . .
   ☑ voir des clowns et des acrobates.
   ☐ assister à un match de hockey.
   ☐ dîner dans un restaurant russe.

PALAIS DES SPORTS (PORTE DE VERSAILLES)

LE CIRQUE DE MOSCOU

TF1

sur Glace

DU 10 NOVEMBRE 1999 AU 13 JANVIER 2004
LOCATION: 01 48 28 40 90 ET 01 48 78 75 00

5. On doit contacter la Cavale si on a envie de . . .
   ☐ faire des randonnées à pied.
   ☑ faire des promenades à cheval.
   ☐ visiter une ferme.

LA CAVALE

Initiation aux sports équestres, promenades grâce à 18 chevaux. Promenades au bord du lac ou en forêts, découverte d'un site en calèche pour enfants, adultes groupes, handicapés.

Tous les jours départ 9h et 14h (se présenter 15 mn avant le départ). Sur demande: le soir départ 17h30. Bivouac le jeudi et le vendredi. Se renseigner après 19h au 04 50 52 64 21.

École primaire
74320 Sevrier
℡ 04 50 52 64 21

6. Le week-end, on peut aller à la Maison du Semnoz si . . .
   ☑ on aime la nature.
   ☐ on veut faire une promenade à cheval.
   ☐ on veut aller à la pêche.

LE SEMNOZ, FORETS ET MONTAGNES AUX PORTES D'ANNECY

■ **La Maison du Semnoz et le Jardin Alpin** qui, à 20 mn d'Annecy, permet, par un cheminement facile, de reconnaître une centaine de plantes de montagne que l'on peut retrouver dans tout l'alpage. L'exposition présente toute la vie de la montagne :
• la forêt, les animaux
• le monde souterrain, grottes, rivières souterraines, archéologie
• la vie dans la mare, un aquarium où vivent des tritons et des grenouilles rousses
• l'hiver, reconnaître les traces d'animaux dans la neige

Ouverture tous les jours du 28. 06 au 30.08 de 12h à 18h30. Juin et septembre : réservé aux écoles et aux groupes sur réservation au 04 50 67 37 34. Entrée libre.

M. Rouillon ℡ 04 50 67 37 34 et (juillet et août seulement) 04 50 01 19 41.

URB
p. 181

Discovering FRENCH *Nouveau!*

BLANC

C'est La Vie

À la Villette

Horaires
LA CITÉ
du mardi au dimache: de 10h à 18h - Femée le lundi
- **La médiathèque:**
du mardi au dimanche: de 12h à 20h
- **L'inventorium:**
séances du mardi au vendredi: 11h, 12h 30, 14h, 15h 30
séances des week-end et jour fériés: 12h, 13h 30, 15h, 16h 30
- **Le planétarium:**
du mardi au dimanche
séances: 10h 30, 12h 30, 14h, 15h 30, 17h
- **Le cinéma Louis-Lumière:**
programme quotidien au 01 40 35 79 40

Cité des Sciences et de l'Industrie   30, avenue Corentin-Cariou - 75019 Paris
Répondeur: 01.40.05.80.00   **Métro: Porte de la Villette**
Parc-auto: quai de la Charente et boulevard Mac-Donald

La Cité des Sciences

Le Parc de la Villette est un grand parc situé au nord-est de Paris. Dans ce parc, il y a le plus grand musée scientifique d'Europe. Ce musée s'appelle la Cité des Sciences et de l'Industrie. Créé spécialement pour les enfants et les adolescents, il offre un très grand nombre d'attractions pour les jeunes Parisiens qui y viennent très nombreux le week-end.

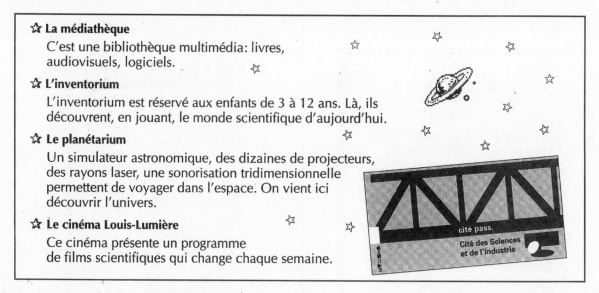

☆ **La médiathèque**
C'est une bibliothèque multimédia: livres, audiovisuels, logiciels.

☆ **L'inventorium**
L'inventorium est réservé aux enfants de 3 à 12 ans. Là, ils découvrent, en jouant, le monde scientifique d'aujourd'hui.

☆ **Le planétarium**
Un simulateur astronomique, des dizaines de projecteurs, des rayons laser, une sonorisation tridimensionnelle permettent de voyager dans l'espace. On vient ici découvrir l'univers.

☆ **Le cinéma Louis-Lumière**
Ce cinéma présente un programme de films scientifiques qui change chaque semaine.

Imaginez que vous êtes élève dans un lycée parisien.

■ Un samedi, vous voulez aller à la Cité des Sciences.
- Quel transport public est-ce que vous prenez?

le métro

- À quelle station est-ce que vous descendez?

Porte de la Villette

URB
p. 182

76   Unité 2
Workbook Reading and Culture Activities   *Discovering French, Nouveau! Blanc*

Discovering
FRENCH
Nouveau!

BLANC

Unité 2
Resources

Workbook TE
Reading and Culture Activities

■ Vous voulez connaître le programme des films présentés au cinéma Louis-Lumière.

   • À quel numéro téléphonez-vous?

   01 40 35 79 40

■ Vous avez besoin de renseignements *(information)* pour un projet scientifique.

   • Où allez-vous?

   à la médiathèque

   • Quel jour est-ce que vous ne pouvez pas aller là-bas?

   le lundi

■ Votre petit frère veut apprendre comment utiliser un ordinateur.

   • Où va-t-il?

   à l'inventorium

■ Avec vos copains, vous voulez savoir comment fonctionne le système solaire.

   • Où allez-vous?

   au planétarium

Cité
des Sciences
et de
l'Industrie

30, avenue Corentin-Cariou
75019 Paris
Tél.: 01 40 05 70 00
Métro : porte de la Villette
Autobus : 150, 152, 250A, PC.

---

la géode

• **La planète bleue**
Des images filmées lors de missions des navettes spatiales américaines. Jusqu'au 7 juillet, tous les jours, toutes les heures, de 10 h à 21 h (sauf lundi: dernière séance à 18 h). Du 8 juillet au 31 août, tous les jours, toutes les heures, de 13 h à 20 h (sauf lundi: dernière séance à 18 h).

• **Rolling Stones at the Max**
Un moment exceptionnel: sur scène avec les Rolling Stones en concert. Jusqu'au 31 août, du mardi au dimanche à 21 h.

• **L'eau et les hommes**
Le combat perpétuel de l'homme pour son élément vital, l'eau. Avec, en avant-programme, La mante religieuse. Jusqu'au 31 août, tous les jours, à 10 h, 11 h et 12 h.

À la Géode (sample answers)

À côté de la Cité des Sciences, il y a un immense globe de couleur métallique. Ce globe s'appelle «La Géode». C'est une salle de cinéma équipée-d'un écran hémisphérique géant de 1000 m² où sont projetés des films OMNIMAX. Grâce au son multi-directionnel et aux effets spéciaux, les spectateurs ont vraiment l'impression de voyager dans le son et l'espace.

Voici le programme des films de la Géode. Choisissez l'un de ces trois films et expliquez votre choix.

■ Je vais voir La planète bleue

parce que la Géode est un cinéma très grand. C'est l'endroit idéal pour voir un film sur les navettes spatiales.

Nom _____

Classe _____ Date _____

Discovering FRENCH *Nouveau!*

B L A N C

Textes

📖 READING HINT

When you encounter a new text, you should first read it over quickly to become familiar with its general meaning. Then, once you have identified the topic, you should read the text over a few more times to try to understand the details.

Although you may not know all the words in the selections below, you should be able to understand the main points by using the above technique.

■ Read the following selections and select the correct completion for each of the accompanying statements. Place a check in the corresponding box.

Vive le jazz!

D'origine afro-américaine, le jazz est devenu rapidement une musique universelle. Ses sources sont nombreuses: le «negro spiritual», chant religieux des esclaves noirs, le «blues», chant plein d'émotion et de mélancolie, le «ragtime», un style de piano qui reprend sur un rythme syncopé les danses populaires de la fin du 19ᵉ siècle.

Le jazz est né vers 1900 dans les villes du Sud des États-Unis, et particulièrement à la Nouvelle Orléans. De la Nouvelle Orléans, il est monté à Kansas City et à Chicago, puis il est arrivé à Harlem qui, dans les années 1930, est devenu la capitale du jazz.

C'est vers 1920 que le jazz est arrivé à Paris, introduit par des musiciens venus en tournée européenne. Immédiatement, cette nouvelle musique a connu un succès extraordinaire!

Le succès du jazz a repris après la guerre avec l'arrivée des soldats noirs de l'armée américaine venue libérer l'Europe. Cette période (1945-1955) a été la grande période du jazz en France. C'est à cette époque que tous les grands du jazz sont venus en concert à Paris: Louis Armstrong, Duke Ellington et leurs orchestres, Ella Fitzgerald, la «reine du scat», Mahalia Jackson, la superbe chanteuse de «negro spirituals». . . Certains musiciens, comme le grand Sidney Béchet, ont décidé de se fixer définitivement en France, peut-être parce qu'ils y étaient plus appréciés que dans leurs pays d'origine.

Plus tard, le jazz a donné naissance à d'autres styles et à d'autres formes de musique, comme le «rock and roll», le «soul music», le «rhythm and blues» et, plus récemment, le «rap». Aujourd'hui comme hier, le jazz et ses variantes restent une musique populaire chez les Français de tout âge.

FRANCK TENOT ET DANIEL FILIPACCHI PRESENTENT SOUS LE PATRONAGE

D' EUROPE 1

UN CONCERT EXCEPTIONNEL

OSCAR PETERSON

RAY BROWN   HERB ELLIS   JEFF HAMILTON

JEUDI 22 NOVEMBRE 2004 A 21H AU PALAIS DES CONGRES

JVC
GRANDE PARADE DU JAZZ
NICE-CIMIEZ
11-21 JUILLET '03
JARDINS DES ARENES
tous les soirs de 18 h à 24 h
Présentée par George Wein
et le Newport Jazz Festival
en association
avec simone ginibre enterprises

Nom _____

Classe _____ Date _____

1. Le jazz a été créé par des musiciens
   américains d'origine . . .
   ☑ africaine.
   ❑ française.
   ❑ hispanique.

2. De ces trois types de musique, le plus
   ancien *(oldest)* est . . .
   ❑ le jazz.
   ☑ «le rag-time».
   ❑ le «soul music».

3. Le jazz est né il y a approximativement . . .
   ❑ 50 ans.
   ☑ 100 ans.
   ❑ 200 ans.

4. Le «blues» est un chant généralement . . .
   ☑ triste.
   ❑ joyeux.
   ❑ religieux.

5. Le «rag-time» est un style de musique
   qui . . .
   ❑ est joué sur clarinette.
   ☑ est venu avant le jazz.
   ❑ est très populaire en France.

6. Le jazz a été introduit en France . . .
   ☑ il y a environ *(about)* 85 ans.
   ❑ par les soldats de l'armée
   américaine.
   ❑ par Ella Fitzgerald et Mahalia
   Jackson.

Unité 2
Resources

Workbook TE
Reading and Culture Activities

Nom _____

Classe _____ Date _____

Discovering
FRENCH
Nouveau!

BLANC

S'il vous plaît, monsieur!

—S'il vous plaît, monsieur, pour aller à l'Arc de Triomphe? C'est loin d'ici?

—Ah oui, c'est en haut des Champs-Élysées.

—Alors, je ne peux pas aller là-bas à pied?

—Non, vous devez prendre le métro.

—Est-ce qu'il y a une station près d'ici?

—Oui, la station Odéon, place de l'Odéon.

—Et où est-ce que je descends?

—À Étoile.

—Merci, monsieur.

—À votre service, mademoiselle.

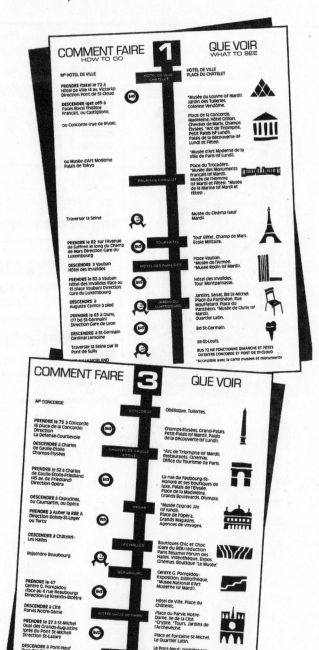

1. Cette conversation a lieu (takes place) . . .
   ❑ à l'Arc de Triomphe.
   ❑ dans la rue.
   ❑ dans une station de métro.

2. La première personne qui parle est probablement . . .
   ❑ une touriste qui visite Paris.
   ❑ une personne qui connaît bien Paris.
   ❑ une personne qui veut aller au cinéma.

3. Le monsieur conseille (advises) à cette personne de (d') . . .
   ❑ aller à pied.
   ❑ prendre un taxi.
   ❑ utiliser les transports publics.

Nom _____

Classe _____ Date _____

Discovering
FRENCH
Nouveau!

B L A N C

Unité 2
Resources

Workbook TE
Reading and Culture Activities

LE MÉTRO

Toutes les grandes villes du monde ont un problème commun qui est le problème de la circulation. Comment transporter le maximum de gens en un minimum de temps entre les différents quartiers d'une grande ville? Les ingénieurs urbains ont résolu ce problème en créant des trains métropolitains souterrains ou «métros».

Le métro est un train rapide qui circule généralement sous terre. Le premier métro a été inauguré à Londres en 1863. C'était un train à vapeur. Peu après, des lignes de métro ont été mises en service dans les grandes villes américaines: New York (1868) d'abord, puis Chicago (1892) et Boston (1897). (C'est à cette époque que la traction électrique a remplacé la traction à vapeur.)

Le métro de Paris date de 1900; Au cours des années, il a été modifié et amélioré. En 1964, un nouveau système de transport, le RER, a été inauguré. Ce train super-rapide relie le centre de Paris avec toutes les banlieues. Avec le RER, on traverse Paris en moins de dix minutes.

1. Le mot «métro» est une abbréviation de . . .
   - ☐ métronome.
   - ☐ système métrique.
   - ☑ train métropolitain.

2. Le métro de Paris a été construit . . .
   - ☐ en 1964.
   - ☐ avant le métro de Londres.
   - ☑ après le métro de New York.

3. Si on veut circuler très rapidement *(fast)* dans la région parisienne, on prend . . .
   - ☐ l'autobus.
   - ☐ le métro.
   - ☑ le RER.

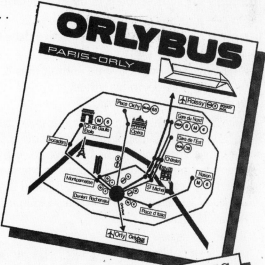

URB
p. 187

Nom _____

Classe _____ Date _____

Discovering
FRENCH
Nouveau!

BLANC

INTERLUDE 2: Camping de printemps

Le jeu des 5 erreurs

Voici un résumé de l'histoire «Camping de printemps». Dans ce résumé il y a cinq erreurs. D'abord relisez l'histoire (pages 144–149 de votre manuel de classe). Puis lisez attentivement le résumé de cette histoire. Découvrez les cinq erreurs et expliquez-les brièvement.

Pour son anniversaire, Jean-Christophe a reçu une tente. Ce week-end, il a décidé de faire du camping en Normandie. Il a proposé cette idée à ses deux cousins Vincent et Thomas qui ont accepté. Le soir avant le départ, Jean-Christophe a pris une carte de la région et il a choisi un itinéraire. Puis, il a préparé ses affaires pour le voyage.

Jean-Christophe, Vincent et Thomas sont partis en scooter samedi matin. À midi, ils ont fait un pique-nique. Vers six heures, ils se sont arrêtés près d'un lac. Malheureusement, il y avait beaucoup de moustiques. Alors, les garçons sont remontés sur leurs scooters et ils sont repartis.

Un peu plus loin, ils ont trouvé une jolie prairie et ils se sont arrêtés là. Peu après, un troupeau° de cinquante vaches est arrivé dans la prairie. Alors, les garçons ont été à nouveau obligés de partir!

Finalement, ils ont trouvé un endroit près d'une forêt. C'est là qu'ils ont installé leur tente. Ils ont préparé un bon dîner, et après le dîner, ils ont chanté un peu. Puis, ils sont allés dans la tente pour dormir.

Vers six heures du matin, les garçons ont entendu des explosions. Bang! Poum! Bang! Bang! Poum! Alors, ils sont sortis de la tente et ils ont vu des hommes armés. Le chef de ces hommes a demandé à Jean-Christophe ce qu'il faisait ici. Jean-Christophe a dit qu'ils faisaient du camping. Alors, l'homme a ordonné aux garçons de partir. Les trois garçons ont démonté la tente et ils sont partis. Quand ils sont sortis de la forêt, ils ont vu une pancarte avec l'inscription:

Propriété privée
Terrain de chasse°
Interdit au public

troupeau *herd*   chasse *hunting*

(sample answers)

Les 5 erreurs (Si c'est nécessaire, utilisez une feuille de papier séparée.)

1ère erreur	Vincent et Thomas ne sont pas les cousins de Jean-Christophe. Ce sont des copains.
2ème erreur	Samedi après-midi, vers six heures, les trois garçons se sont arrêtés près d'une rivière, et non pas près d'un lac.
3ème erreur	C'est un taureau furieux, et non pas un troupeau de vaches, qui est arrivé dans la prairie.
4ème erreur	Ce n'est pas à six heures du matin que les garçons ont entendu les explosions. C'est à trois heures que Vincent est sorti de la tente et qu'il a vu des lueurs dans le ciel. C'est après cela que les garçons ont entendu des explosions.
5ème erreur	L'endroit où les garçons ont fait du camping est un terrain militaire. Ce n'est pas un terrain de chasse privé.

Nom _____

Classe _____ Date _____

Discovering **FRENCH** *Nouveau!*

B L A N C

FORM A

Unité 2 Resources

Unit Test

Form A

UNIT TEST 2 (Lessons 5, 6, 7, 8)

Première Partie. Compréhension

1. La réponse logique (20 points)

You will hear a series of questions. Listen carefully to each question and select the most logical answer. On your test sheet, circle the corresponding letter: a, b, or c. You will hear each question twice.

Vous allez entendre une série de questions. Écoutez bien chaque question et choisissez la réponse logique à cette question. Marquez la lettre correspondante—a, b ou c—avec un cercle. Chaque question sera répétée.

Modèle: [Qu'est-ce que tu vas faire à la piscine?]
  a. Je vais étudier.
  b. Je vais jouer au foot.
  c. Je vais nager.

1. a. Oui, je vais regarder la télé.
    b. Oui, j'ai un examen lundi.
    c. Non, je vais rester à la maison.

2. a. Au Café de l'Univers.
    b. Je vais faire des achats.
    c. Dimanche soir.

3. a. Oui, je vais sortir.
    b. Oui, je vais laver sa voiture.
    c. Oui, je vais ranger ma chambre.

4. a. Non, je préfère marcher.
    b. Oui, j'ai un bon appareil-photo.
    c. Oui, j'aime faire des promenades à cheval.

5. a. Je vais assister à un concert de rap.
    b. Je vais faire un match de tennis.
    c. Je vais aller à pied.

6. a. À la station Saint-Michel.
    b. On achète un ticket.
    c. On monte à Trocadéro.

7. a. Oui, je vais faire un pique-nique.
    b. Non, nous allons aller à la campagne.
    c. Oui, j'aime aller à la pêche.

8. a. Au concert.
    b. Dans la forêt.
    c. Dans le métro.

9. a. Oui, il aime les pique-niques.
    b. Oui, il aime les fruits.
    c. Oui, mais il ne prend pas souvent de poissons.

10. a. C'est un cochon.
    b. C'est un cheval.
    c. C'est un écureuil.

Discovering FRENCH *Nouveau!*

B L A N C

Deuxième Partie: Vocabulaire et Structure

2. Le choix logique (24 points)

Find the logical completion for each of the following sentences and circle the corresponding letter: a, b, or c.

1. Juliette va en ville. Elle va faire ____.
   a. la vaisselle
   b. des achats
   c. ses devoirs

2. Catherine est à la plage, mais elle ne nage pas. Elle préfère ____.
   a. partir en vacances
   b. faire les courses
   c. prendre un bain de soleil

3. Nicolas est très ordonnée *(neat)*. Cet après-midi, il va ____ sa chambre.
   a. laver
   b. ranger
   c. sortir de

4. Cet après-midi, je vais rester à la maison pour aider mes parents. Je vais ____.
   a. sortir
   b. faire des achats
   c. nettoyer le garage

5. Le samedi, Claude va dans une école de musique. Il ____ à jouer de la clarinette.
   a. prend
   b. apprend
   c. comprend

6. Nathalie aime beaucoup les animaux. Dans sa chambre, elle a ____.
   a. un lapin
   b. un cochon
   c. une feuille

7. Thérèse et Martin font une randonnée à la campagne. Dans la prairie, elles voient des chevaux et ____.
   a. des vaches
   b. des écureuils
   c. des poissons

8. Pendant la semaine, Alice travaille beaucoup, mais le samedi soir elle n'étudie pas. Elle ____ avec ses copines.
   a. sort
   b. revient
   c. descend

9. Nous allons prendre le métro. Nous allons monter à Étoile et ____ à Opéra.
   a. partir
   b. descendre
   c. devenir

10. Je vais passer le week-end à la campagne avec mes parents. Nous allons partir vendredi soir et ____ dimanche après-midi.
    a. venir
    b. revenir
    c. devenir

11. Les passagers sont montés dans le train. Le train va ____ dans dix minutes.
    a. arriver
    b. partir
    c. sortir

12. Le week-end dernier, Caroline a eu un petit accident. Elle ____.
    a. est venue à bicyclette
    b. est tombée de bicyclette
    c. a fait une randonnée à bicyclette

Nom _____

Classe _____ Date _____ _____

Discovering FRENCH *Nouveau!*

BLANC

Unité 2 Resources

Unit Test Form A

3. Qu'est-ce qu'ils font? (8 points)

Describe what the following people are doing right now by completing the sentences below with the present tense of the verbs in parentheses.

1. (voir)   Vous _____ vos copains.

2. (mettre)   J _____ un CD de rap.

3. (sortir)   Tu _____ du musée.

4. (prendre)   Nous _____ des photos.

5. (partir)   Je _____ pour ma classe de français.

6. (apprendre) Les élèves _____ les verbes.

7. (dormir)   Tu ne _____ pas?

8. (voir)   Catherine et Pierre _____ une comédie à la télé.

4. Un week-end à Québec (20 points)

Describe what the following people did last weekend by completing the sentences with the appropriate forms of the passé composé of the verbs in parentheses.

1. (arriver)   Claire _____ samedi soir.

2. (rester)   Jérôme et Éric _____ à l'hôtel Frontenac.

3. (assister)   Nous _____ à un match de hockey.

4. (visiter)   Vous _____ la Citadelle.

5. (faire)   Tu _____ une promenade en bateau sur le Saint-Laurent.

6. (être)   Alice _____ voir un film australien.

7. (venir)   Nos copains _____ au restaurant avec nous.

8. (prendre)   Vous _____ beaucoup de photos.

9. (sortir)   François _____ avec sa cousine québécoise.

10. (aller)   Nous _____ dans la Vieille Ville.

Nom _____

Classe _____ Date _____

5. Contextes et dialogues (8 points)

Complete the dialogues by selecting the appropriate words or expressions and writing them in the corresponding blanks.

A. Pierre rencontre Nathalie au café.

PIERRE: Tu attends _____?   (rien / quelqu'un)

NATHALIE: Non, je n'attends _____.   (personne / une personne)

PIERRE: Tu veux aller voir «Cyrano» au Studio 26?

NATHALIE: Ah non, j'ai _____ vu ce film.   (déjà / pendant)

PIERRE: Quand?

NATHALIE: _____ trois jours.   (Depuis / Il y a)

PIERRE: Alors, allons manger une pizza.

NATHALIE: D'accord! J'ai très faim.

B. Mélanie téléphone à son amie Cécile.

MÉLANIE: Est-ce que ton frère est à la maison?

CÉCILE: Oui, il est rentré _____ dix minutes.   (pendant / il y a)

MÉLANIE: Est-ce qu'il va sortir _____?   (ce soir / avant)

CÉCILE: Oui, mais _____ il va finir ses devoirs.   (enfin / d'abord)

MÉLANIE: Et _____?   (ensuite / depuis)

CÉCILE: Il va aller à un concert avec sa copine.

Nom _____

Classe _____ Date _____

Discovering FRENCH *Nouveau!*

BLANC

Unité 2 Resources
Unit Test
Form A

Troisième Partie: Expression personnelle

6. Un week-end à la campagne (20 points)

In a paragraph, describe a real (or imaginary) weekend in the country. Use complete sentences. Mention:

- what time you left
- how you got to the country (did you go by bicycle? by car? did you take the bus?)
- how long you stayed (how many days)
- whether you went for a horseback ride or a walk
- what animals you saw (name two animals)
- what else you did there (name one activity)
- what day you got back

Nom _____

Classe _____ Date _____

Discovering
FRENCH
Nouveau!

BLANC

UNIT TEST 2 (Lessons 5, 6, 7, 8)

FORM B

Première Partie. Compréhension

1. La réponse logique (20 points)

You will hear a series of questions. Listen carefully to each question and select the most logical answer. On your test sheet, circle the corresponding letter: a, b, or c. You will hear each question twice.

Vous allez entendre une série de questions. Écoutez bien chaque question et choisissez la réponse logique à cette question. Marquez la lettre correspondante—a, b ou c—avec un cercle. Chaque question sera répétée.

Modèle: [Qu'est-ce que tu vas faire à la piscine?]
    a. Je vais étudier.
    b. Je vais jouer au foot.
    (c.) Je vais nager.

1. a. Non, je vais rester à la maison.
    b. Oui, je vais regarder la télé.
    c. Oui, j'ai un examen mardi.

2. a. Je vais bronzer.
    b. Je vais faire des achats.
    c. Je vais faire un pique-nique.

3. a. Oui, je vais jouer au foot.
    b. Oui, je vais laver sa voiture.
    c. Oui, je vais ranger ma chambre.

4. a. Oui, elle range ses affaires.
    b. Non, elle va prendre le bus.
    c. Oui, elle adore prendre des bains de soleil.

5. a. Oui, j'adore la campagne.
    b. Non, je préfère marcher.
    c. Oui, j'aime faire des promenades à vélo.

6. a. Je vais retrouver des amis.
    b. Je vais voir un film.
    c. Je vais aller à pied.

7. a. On monte à Opéra.
    b. On achète un ticket.
    c. À la station Trocadéro.

8. a. Oui, je vais nettoyer le garage.
    b. Non, nous allons aller à la campagne.
    c. Oui, je cherche un nouveau CD.

9. a. Au concert.
    b. Dans la forêt.
    c. Dans le métro.

10. a. Oui, j'ai un lapin.
    b. Oui, j'ai uné vache.
    c. Oui, j'ai un cochon.

Discovering
FRENCH
Nouveau!

BLANC

Unité 2
Resources

Unit Test
Form B

Deuxième Partie: Vocabulaire et Structure

2. Le choix logique (24 points)

Find the logical completion for each of the following sentences and circle the corresponding letter: a, b, or c.

1. Ce soir, Mélanie ne va pas rester à la maison. Elle va ____.
   a. étudier   b. sortir   c. aider ses parents

2. Pierre est dans sa chambre. Il est en train de ____.
   a. laver sa voiture   b. ranger ses affaires   c. faire des achats

3. Samedi dernier, Alice est allée au stade. Elle a ____.
   a. vu un film   b. fait les courses   c. assisté à un match de foot

4. Philippe prend un bain de soleil parce qu'il aime ____.
   a. nager   b. bronzer   c. regarder les oiseaux

5. Mon oncle a habité au Mexique. Il ____ très bien l'espagnol.
   a. met   b. prend   c. comprend

6. Samedi prochain, Thomas et Jean-Claude vont aller à la pêche. Les deux garçons espèrent (hope) prendre beaucoup de ____.
   a. canards   b. poissons   c. photos

7. Corinne fait une promenade dans la forêt. Elle regarde ____ qui est sur la branche d'un arbre.
   a. un lapin   b. un écureuil   c. un cochon

8. Sophie et Marc visitent New York. Ce matin, ils sont allés à la Statue de la Liberté. Cet après-midi, ils vont ____ à l'Empire State Building pour avoir une belle vue de la ville.
   a. monter   b. descendre   c. revenir

9. Pauline est très fatiguée (tired). Après le dîner, elle est montée dans sa chambre et elle ____.
   a. est restée   b. a dormi   c. est sortie

10. Ce soir, Nicolas va sortir avec un copain. Sa mère lui demande: «À quelle heure est-ce que tu vas ____?»
    a. rester   b. rentrer   c. descendre

11. Robert et Béatrice visitent Paris. Ils prennent le métro pour aller au Quartier Latin. Robert demande à Béatrice: «À quelle station est-ce que nous allons ____?»
    a. descendre   b. rester   c. voir

12. Isabelle est au café. Elle a un rendez-vous avec Michel, mais Michel ne vient pas. Finalement il arrive avec deux heures de retard (late). Isabelle demande à Michel ____:
    a. «Pourquoi es-tu venu?»   b. «Qu'est-ce qui est arrivé?»   c. «Qui est arrivé?»

Nom _____

Classe _____ Date _____ _____

Discovering
FRENCH
Nouveau!

B L A N C

3. Qu'est-ce qu'ils font? (8 points)

Describe what the following people are doing right now by completing the sentences below with the PRESENT tense of the verbs in parentheses.

1. (voir)   Nous _____ un film à la télé.

2. (mettre)   Jérôme _____ la table.

3. (dormir)   Tu _____?

4. (prendre) Vous _____ le bus.

5. (sortir)   Je _____ avec mes copains.

6. (apprendre) Les élèves _____ les verbes irréguliers.

7. (partir)   Tu _____ à la campagne.

8. (voir)   Éric et Olivier _____ souvent leurs cousins.

4. Un week-end à Paris (20 points)

Describe what the following people did last weekend by completing the sentences with the appropriate forms of the PASSÉ COMPOSÉ of the verbs in parentheses.

1. (visiter)   Nous _____ le Musée d'Orsay.

2. (faire)   Tu _____ une promenade sur les Champs-Élysées.

3. (monter)   Catherine _____ à la Tour Eiffel.

4. (dîner)   Nicolas _____ dans un restaurant vietnamien.

5. (sortir)   Nathalie et Sophie _____ avec des copains.

6. (voir)   Vous _____ un bon film.

7. (aller)   Marc et Olivier _____ dans les magasins du Quartier Latin.

8. (prendre)   Alice _____ des photos du Louvre.

9. (vendre)   Monsieur Denis _____ son appartement.

10. (venir)   Mes cousins _____ avec moi.

Nom _____

Classe _____ Date _____

Discovering FRENCH *Nouveau!*

BLANC

Unité 2 Resources

Unit Test Form B

5. Contextes et dialogues (8 points)

Complete the dialogues by selecting the appropriate words or expressions and writing them in the corresponding blanks.

A. Stéphanie téléphone à Éric.

STÉPHANIE: Qu'est-ce que tu fais samedi _____?   (dernier / prochain)

ÉRIC: Je ne fais _____.   (pas / rien)

STÉPHANIE: Est-ce que tu veux faire _____ avec moi?   (quelque chose / quelqu'un)

ÉRIC: D'accord! Quoi?

STÉPHANIE: Allons dans les magasins, et _____ allons au cinéma.   (ensuite / déjà)

B. Catherine et Thomas font des projets (plans) pour le week-end.

CATHERINE: Tu as _____ visité le château de Versailles?   (déjà / d'abord)

THOMAS: Non, je n'ai _____ visité ce château.   (souvent / jamais)

CATHERINE: Tu veux aller là-bas le week-end _____?   (dernier / prochain)

THOMAS: Oui, c'est une exellente idée! _____ la visite, je vais prendre beaucoup de photos.   (Pendant / Depuis)

Nom _____

Classe _____ Date _____

Discovering
FRENCH
Nouveau!
B L A N C

Troisième Partie: Expression personnelle

6. Un tour à la campagne (20 points)

In a paragraph, describe an outing to the country, real or imaginary. Use complete sentences. Mention:

- what time you left
- how you got to the country (did you go by bicycle? by car? did you take the bus?)
- how long you stayed (how many hours)
- whether you went for a walk
- what animals you saw (name two animals)
- what else you did there (name one activity)
- what time you got back

_____

_____

_____

_____

_____

_____

_____

_____

_____

Unité 2 Resources

Unit Test
Form B

Nom _____

Classe _____ Date _____

Discovering
FRENCH
Nouveau!

B L A N C

**Unité 2
Resources**

Listening Comprehension
Performance Test

UNITÉ 2   Listening Comprehension Performance Test

Partie A: Scènes et situations (40 points: 5 points per item)

Listen carefully to each sentence and determine whether it is related to Scene A, B, C, or D.
Then circle the corresponding letter.

▶   A   B   C   D

1. A   B   C   D   5. A   B   C   D

2. A   B   C   D   6. A   B   C   D

3. A   B   C   D   7. A   B   C   D

4. A   B   C   D   8. A   B   C   D

Nom _____

Classe _____ Date _____

Discovering FRENCH *Nouveau!*

BLANC

Partie B: Conversations (30 points: 5 points per question)

You will hear six short conversations. These conversations are incomplete. Select the most logical CONTINUATION for each conversation and circle the corresponding letter.

1. Nous sommes samedi après-midi. Claire téléphone à Jean-Pierre.
   Jean-Pierre répond:
   a. J'ai vu un film à la télé.
   b. J'ai rangé mes affaires et j'ai fait mes devoirs.
   c. J'ai lavé la voiture et j'ai nettoyé le garage.

2. Monique et son cousin Patrick sont canadiens. Ils visitent Paris.
   Patrick répond:
   a. Allons dans un restaurant.
   b. Prenons le métro.
   c. Prends ton appareil-photo.

3. Corinne et Pierre parlent de leur week-end.
   Pierre répond:
   a. Oui, il y a beaucoup d'arbres.
   b. Oui, nous avons pris des poissons.
   c. Oui, des lapins et des écureuils.

4. Nous sommes samedi soir. Véronique rentre chez elle. Son frère Philippe lui parle.
   Philippe répond:
   a. Dans dix minutes.
   b. Il y a une heure.
   c. Demain matin.

5. François et sa copine Sylvie font une promenade à pied.
   François répond:
   a. Non, je n'ai vu personne.
   b. Non, je n'ai rien vu.
   c. Oui, je suis venu au café.

6. Isabelle téléphone à Christophe.
   Christophe répond:
   a. Elle sort.
   b. Elle dort.
   c. Elle fait des achats.

Partie C: Contexte (30 points: 5 points per item of information)

Le calendrier de Sophie

SAMEDI MATIN	Où: Activité principale:
SAMEDI APRÈS-MIDI	Où: Activité principale:
SAMEDI SOIR	Où: Activité principale:

Nom _____

Classe _____ Date _____

Discovering
FRENCH
Nouveau!

BLANC

Unité 2
Resources

Speaking Performance Test

UNITÉ 2 Speaking Performance Test

Part I. Conversations

In this part of the Speaking Performance Test, I will describe a situation and then ask you some related questions. In your answers, use only the vocabulary and structures you have learned. Also use your imagination.

CONVERSATION A	UNITÉ 2

My family has just moved to your neighborhood and I will be attending your school. Can you tell me about your typical day there?

- Comment vas-tu à l'école?
- En général, à quelle heure est-ce que tu arrives là-bas?
- À midi, est-ce que tu restes à l'école ou est-ce que tu rentres chez toi?
- L'après-midi, à quelle heure est-ce que tu rentres chez toi?

CONVERSATION B	UNITÉ 2

I enjoy movies and I know that you do too. Tell me about the last time you went to the movies.

- Quel jour es-tu allé(e) au cinéma?
- Quel film est-ce que tu as vu?
- Qu'est-ce que tu as fait après?
- À quelle heure es-tu rentré(e) chez toi?

CONVERSATION C	UNITÉ 2

A friend told me about the great picnic you had at your place last Saturday. Please tell me more about it.

- Combien de personnes sont venues?
- Qu'est-ce que vous avez mangé?
- Qu'est-ce que vous avez fait après?
- Quand est-ce que tes amis sont partis?

Discovering FRENCH *Nouveau!*

B L A N C

CONVERSATION D   UNITÉ 2

Last Saturday I saw you downtown carrying a large shopping bag. Tell me about what you did.

- Où es-tu allé(e)?
- Qu'est-ce que tu as acheté?
- Combien d'argent as-tu dépensé?
- Comment es-tu rentré(e) chez toi?

CONVERSATION E   UNITÉ 2

From your tan I can see that you did not stay home this weekend. Can you tell me what you did?

- Où es-tu allé(e)?
- Qu'est-ce que tu as fait là-bas?
- Qui as-tu rencontré?
- Qu'est-ce que vous avez fait?

CONVERSATION F   UNITÉ 2

Like most young people, you love to travel. Tell me about a trip you took recently. (It may be real or imaginary!)

- Où es-tu allé(e)?
- Combien de temps est-ce que tu es resté(e) là-bas?
- Qu'est-ce que tu as fait?
- Quand es-tu rentré(e)?

Nom

Classe   Date

Discovering
FRENCH
Nouveau!

BLANC

Unité 2
Resources

Speaking Performance Test

Part II. Tu as la parole

In this part of the Speaking Performance Test, you will have the opportunity to make four comments about a familiar topic. Use only the vocabulary and structures you have learned. Also use your imagination.

TU AS LA PAROLE (A)   UNITÉ 2

Last weekend you went on a bike ride in the country with your friend Hélène. Name four (4) different animals that you saw. For instance . . .

- horses
- cows
- ducks
- birds
- pigs
- rabbits
- squirrels
- chickens

TU AS LA PAROLE (B)   UNITÉ 2

Mention four (4) things that you did at home yesterday. Name two "fun" things and two chores. For instance . . .

- watch TV
- call a friend
- listen to CDs

- see a movie
- eat a pizza

- pick up your room
- put away your clothes
- help your brother/sister
- set the table
- do the dishes

TU AS LA PAROLE (C)   UNITÉ 2

For the past several days it has been warm and sunny. Mention two (2) things that you did and two (2) things that you did not do recently. For instance . . .

- swim
- play basketball
- play football
- go to the country
- have a picnic

- go for a walk
- go on a bike ride
- go for a ride in the car
- go horseback riding
- go fishing

Nom _____

Classe _____ Date _____

Discovering
FRENCH
Nouveau!

BLANC

TU AS LA PAROLE (D)　　　UNITÉ 2

Tell me about the last time you went out with a friend.
Mention . . .

- with whom you went out
- where you went
- what you did there
- what you did after that

TU AS LA PAROLE (E)　　　UNITÉ 2

Tell me about a professional sports match you saw
recently. Mention . . .

- where you saw the game (on TV? at a stadium?)
- who won
- who lost
- if you liked the game

TU AS LA PAROLE (F)　　　UNITÉ 2

I understand you visited Paris last summer. Tell me about
your trip. Mention . . .

- how long you stayed
- if you stayed in a hotel or with friends
- what monuments you visited
- what else you did

Nom _____

Classe _____ Date _____

Discovering
FRENCH
Nouveau!

B L A N C

Unité 2
Resources

Reading Comprehension
Performance Test

UNITÉ 2 Reading Comprehension Performance Test

┤ D O C U M E N T S ├

Read each document and then select the correct completion for each of the statements that follow. On your Answer Sheet, place a check next to the corresponding letter: a, b, or c.

```
LA PAGODE          87 bis, rue Babylone   Séance 13h. 30
        SALLE 2                            et     17h.
                                           Film   20h. 30
            UN FILM DE MARCEL CARNÉ

        LES ENFANTS DU PARADIS

              1ère et 2ème Epoque
        avec ARLETTY - J.L. BARRAULT - Pierre BRASSEUR
          Scénario et Dialogue de Jacques PRÉVERT
```

```
AUX  DEUX  FRANCE
2, PLACE BENJAMIN ZIX
    67000 STRASBOURG
TÉL: 03.88.22.15.17

03-06-00
REG Serv.   4      4


THÉ                 1,50€
ORANGINA            1,80€
CROISSANT           1,40€
SANDWICH PATÉ       2,50€

TOTAL*              7,20€
```

1. La Pagode est . . .
   a. un cinéma.
   b. un restaurant chinois.
   c. une école pour les enfants.

2. La personne qui a rapporté *(brought back)* ce ticket . . .
   a. a fait des achats.
   b. a fait un tour à la campagne.
   c. a rencontré un(e) ami(e) dans un café.

CLUB JOIE ET SOLEIL

Promenade à cheval
Pêche
Location de bicyclette
Vélo-cross
Mini-golf
Randonnées

Veuillez m'adresser des informations sans engagement

Nom: _____
Prénom: _____
Adresse: _____
_____
Tél: _____

INFORMATIONS ET RÉSERVATIONS: TÉL. 04.67.94.21.89
34450 VIAS - FRANCE

Voici une annonce pour un club de vacances.

3. On va dans ce club si on aime . . .
   a. la campagne.
   b. les activités culturelles.
   c. les sports d'équipe *(team)*.

4. Les activités proposées indiquent que le club est situé *(located)* près d' . . .
   a. une forêt.
   b. un terrain d'aviation.
   c. un lac ou d'une rivière.

Nom _____

Classe _____ Date _____

PARIS SESAME:
votre carte de voyage à Paris.
Découvrez tout Paris
avec la carte PARIS SESAME.
C'est pratique, formule 2, 4 ou 7 jours.
C'est simple, il suffit de signer.
C'est chic, vous roulez en 1ʳᵉ classe dans le métro,
bus et RER autant de fois que vous le voulez
avec un seul ticket.
Avec PARIS SESAME, Paris est à vous.

5. Beaucoup de touristes qui visitent Paris achètent une carte PARIS SÉSAME. Avec cette carte on peut . . .
   a. monter à la Tour Eiffel.
   b. voyager en métro ou en bus.
   c. avoir une réduction dans les musées.

Textes

Read each text for general understanding. Then select the correct completion for each of the statements that follow. On your Answer Sheet, place a check next to the corresponding letter: a, b, or c.

Le Parc Zoologique de Paris, situé dans le Bois de Vincennes, fut inauguré le 2 juin 1934. Il dépend du Muséum National d'Histoire Naturelle comme la Ménagerie du Jardin des Plantes.

Comme celle-ci, il a pour mission d'entretenir des collections vivantes d'animaux sauvages dans des buts de recherche et d'éducation.

Les collections actuelles du Parc Zoologique comptent plus de 1000 animaux répartis en 110 espèces de mammifères et 150 d'oiseaux.

Les animaux évoluent en liberté apparente dans un environnement rappelant autant que possible leur milieu naturel sur une superficie de 15 hectares.

6. On va à l'endroit décrit pour voir . . .
   a. des animaux domestiques.
   b. des oiseaux exotiques.
   c. des vaches et des chevaux.

7. Dans cet endroit, les animaux sont . . .
   a. dans des cages.
   b. en complète liberté.
   c. dans un environnement qui ressemble à leur milieu naturel.

Nom _____

Classe _____ Date _____

Discovering FRENCH *Nouveau!*

BLANC

Unité 2 Resources

Reading Comprehension Performance Test

Le week-end d'Isabelle

Olivier téléphone à sa copine Isabelle.

OLIVIER: Allô, Isabelle. Ça va?

ISABELLE: Tiens, salut Olivier. Oui, ça va!

OLIVIER: Qu'est-ce que tu as fait cet après-midi?

ISABELLE: Je suis allée dans des magasins.

OLIVIER: Tu as acheté quelque chose?

ISABELLE: Ben . . . J'ai vu beaucoup de choses intéressantes, mais je n'ai rien acheté.

OLIVIER: Alors, tu es rentrée chez toi?

ISABELLE: Ben, non . . . Figure-toi que dans la rue j'ai rencontré ma cousine Juliette. Alors, nous sommes allées au Café de l'Esplanade.

OLIVIER: Vous êtes restées longtemps là-bas?

ISABELLE: Une heure à peu près . . . Juliette est partie pour un rendez-vous avec son copain et moi, j'ai pris le bus.

OLIVIER: Dis donc, tu veux aller au restaurant avec moi?

ISABELLE: Merci, mais j'ai déjà dîné.

OLIVIER: Alors, allons au ciné!

ISABELLE: J'aimerais bien, mais je dois ranger ma chambre et finir mes devoirs.

OLIVIER: Dommage!

8. Cet après-midi, Isabelle . . .
   a. est sortie avec Olivier.
   b. a fait un tour en ville.
   c. a vu un bon film.

9. Dans les magasins, Isabelle . . .
   a. a juste regardé.
   b. a fait des achats.
   c. a rencontré Juliette.

10. Isabelle est rentrée chez elle . . .
    a. à pied.
    b. en bus.
    c. avec Juliette.

Nom _____

Classe _____ Date _____

Discovering
FRENCH *Nouveau!*

B L A N C

UNITÉ 2 Writing Performance Test

1. À la campagne (12 points: 2 per item)

You went on a bicycle ride in the country Sunday afternoon. Make a list of six animals that you noticed.

Dimanche après-midi à la campagne,
j'ai vu . . .

- _____
- _____
- _____
- _____
- _____
- _____

2. Samedi dernier (24 points: 4 per sentence)

Write three things that you *did* last weekend and three things that you *did not do*. You may use the list of suggested activities, or mention other activities.

- stay home?
- clean your room?
- finish your homework?
- go to a football/basketball game?
- see relatives? (which ones?)
- go on a bike ride? (where?)
- see a show? (which show?)
- buy something? (what?)
- meet friends somewhere?

Oui
- _____
- _____
- _____

Non
- _____
- _____
- _____

Nom _____

Classe _____ Date _____

Discovering
FRENCH
Nouveau!

BLANC

Unité 2
Resources

Writing Performance Test

3. Hier (24 points: 4 per sentence)

Describe your day yesterday.

Mention . . .
- how you went to school
- at what time you arrived at school
- how many classes you had
- when you came back home
- what you did before dinner
- what you did after dinner

Ma journée d'hier

4. Une sortie
(20 points: 4 per sentence)

Describe what you did the last
time you went out with a friend.

Mention . . .
- with whom you went out
- at what time you left home
- where you went together
- what you did there
- what you did afterwards

Une sortie

Nom _____

Classe _____ Date _____

Discovering
FRENCH
Nouveau!

B L A N C

5. Composition libre (20 points: 4 points per sentence)

Choose one of the following topics and write a short paragraph of five sentences.

A You spent last weekend at your uncle's farm. Write a letter to your friend Nathalie describing what you did there.

B For spring vacation, you spent a week in Paris. Write a letter to your friend Véronique describing your trip. You might want to say when you arrived in France, how long you stayed, what you saw, whom you met . . .

C Your friend Thomas visited you last week-end. In your diary, describe what the two of you did together.

Sujet: _____

Nom _____

Classe _____ Date _____

Discovering
FRENCH
Nouveau!

B L A N C

Multiple Choice Test Items

Leçon 5

1. —Tu vas sortir?
   —Oui, _____
   a. je vais au ciné.
   b. je vais ranger la chambre.
   c. je vais rester à la maison.

2. —On va au café?
   —Oui, _____
   a. on va retrouver des amis.
   b. on va faire des achats.
   c. on va voir un film.

3. Nous allons _____ à un concert de rock.
   a. prendre
   b. nettoyer
   c. assister

4. On va _____ pour prendre un bain de soleil.
   a. au stade
   b. à la plage
   c. en ville

5. Où est ma montre? Je ne sais pas! Je dois _____
   a. bronzer.
   b. faire des achats.
   c. ranger ma chambre.

6. Ma soeur _____ la maison.
   a. nettoie
   b. nettoies
   c. nettoient

7. Samedi, je vais _____ la voiture.
   a. ranger
   b. laver
   c. rencontrer

8. —Tu vas marcher?
   —Oui, je vais en ville _____
   a. en metro.
   b. à pied.
   c. en bus.

9. —Où est-ce que tu prends le métro?
   —Je _____ à Concorde.
   a. monte
   b. descends
   c. prends

10. Nous allons en ville pour _____
    a. aller dans les magasins.
    b. nager.
    c. ranger nos affaires.

11. —Est-ce que tu as un billet de métro?
    —Oui, voilà mon _____.
    a. ticket
    b. direction
    c. affaire

12. —Comment vas-tu en ville?
    —Je vais _____ le métro.
    a. aller
    b. prendre
    c. descendre

13. —Tes cousins habitent dans une ferme?
    —Oui, ils habitent _____.
    a. en ville
    b. à la mer
    c. à la campagne

14. Je vais faire _____ à cheval.
    a. une randonnée
    b. un champ
    c. un pique-nique

15. —Avez-vous des animaux à la ferme?
    —Oui, nous avons des _____.
    a. écureuils
    b. oiseaux
    c. chevaux

16. —Est-ce que Jean-Claude va chercher des poissons?
    —Oui, il va _____
    a. faire une randonnée.
    b. faire une promenade.
    c. aller à la pêche.

17. En automne, les _____ des arbres deviennent rouges et jaunes.
    a. feuilles
    b. champs
    c. fleurs

Nom _____

Classe _____ Date _____ _____

Discovering
FRENCH
Nouveau!

B L A N C

Unité 2
Resources

Multiple Choice Test Items

18. Pour aller à la pêche, Richard va
_____.
   a. dans la forêt
   b. à la rivière
   c. à la prairie

19. Les _____ n'aiment pas le
lac.
   a. poissons
   b. canards
   c. poules

20. Nous allons à la campagne ce week-end.
Nous allons _____ samedi.
   a. passer
   b. partir
   c. faire

Leçon 6

1. —Tu viens d'étudier?
  —Oui, _____
   a. je vais faire mes devoirs.
   b. je fais mes devoirs.
   c. j'ai fini mes devoirs.

2. Samedi dernier, Paul a _____
un film à la télé.
   a. regarder
   b. regardé
   c. regarde

3. Quand est-ce que tu as acheté ce jean?
   a. Demain
   b. Depuis un mois
   c. Hier

4. —Qu'est-ce que tu as acheté en ville?
  —_____ des CD.
   a. J'ai acheté
   b. Je vais acheter
   c. J'achète

5. Tu _____ choisi une jolie
robe bleue.
   a. vas
   b. as
   c. es

6. Mes copains ont _____ le
bus.
   a. attendent
   b. attends
   c. attendu

7. _____ j'ai fait mes devoirs, et
ensuite, j'ai regardé la télé.
   a. D'abord
   b. Enfin
   c. Finalement

8. Nous avons lavé la vaisselle
_____ le dîner.
   a. pendant
   b. avant
   c. après

9. Dimanche dernier, est-ce que vous
_____ un tour à vélo?
   a. avez fait
   b. faites
   c. allez faire

10. _____ travaillé?
   a. Est-ce qu'il
   b. A-t-il
   c. Où

11. Où _____ dîné?
   a. vous avez
   b. vous
   c. est-ce que vous avez

12. Quel match ont-ils _____?
   a. regardent
   b. regardé
   c. regarder

13. À quelle heure as-tu _____?
   a. téléphoné
   b. téléphones
   c. vas téléphoner

14. —Qu'est-ce que tu veux manger?
  —Je _____ une pizza.
   a. prends
   b. mets
   c. comprends

15. Qui va _____ la table?
   a. prendre
   b. attendre
   c. mettre

16. Abdoulaye vient de Dakar. Il
_____ le français.
   a. met
   b. attend
   c. comprend

Nom _____

Classe _____ Date _____ _____

Discovering FRENCH *Nouveau!*

B L A N C

Unité 2
Resources

Multiple Choice Test Items

17. Quand est-ce que nous allons _____ à danser?
   a. apprendre
   b. prendre
   c. comprendre

18. Il fait froid! Je _____ ma veste.
   a. prends
   b. mets
   c. promets

19. Mes amis ne _____ pas leur professeur.
   a. comprennent
   b. comprend
   c. comprendre

20. Je _____ d'être plus sérieux à l'école.
   a. promet
   b. promets
   c. promettent

Leçon 7

1. Quel film est-ce qu'on _____?
   a. vois
   b. voient
   c. voit

2. À Paris, ils _____ la Tour Eiffel.
   a. voient
   b. voit
   c. voir

3. Nous allons _____ nos cousins.
   a. voient
   b. aller voir
   c. voyons

4. _____-vous vos cousins souvent?
   a. Voyez
   b. Voient
   c. Vois

5. Nous avons _____ beaucoup de jolies fleurs à la campagne.
   a. voir
   b. voyons
   c. vu

6. Tu _____ un tour à vélo?
   a. as mis
   b. as fait
   c. as été

7. Je n'ai pas _____ le temps de ranger ma chambre.
   a. fait
   b. eu
   c. été

8. Avant le dîner, il a _____ la table.
   a. pris
   b. fait
   c. mis

9. Hier, _____ un bon film à la télé.
   a. il y a eu
   b. il y a
   c. il y avoir

10. La pauvre fille _____ malade!
   a. a eu
   b. a été
   c. a fait

11. —Vous avez vu quelque chose?
   —Non, _____
   a. nous n'avons rien vu.
   b. nous n'avons pas vu rien.
   c. nous avons vu quelque chose.

12. —Qu'est-ce que tu as fait ce week-end?
   —_____
   a. Rien.
   b. Quelqu'un.
   c. Personne.

13. —Tu as invité quelqu'un?
   —Non, _____
   a. je n'ai invité personne.
   b. je n'ai pas invité personne.
   c. je n'ai invité quelqu'un.

14. Qui est là?
   a. Rien.
   b. Personne.
   c. Quelque chose.

15. Mon père _____ allé en ville.
   a. a
   b. suis
   c. est

Copyright © by McDougal Littell, a division of Houghton Mifflin Company.

16. Élisabeth est _____ à la pêche.
   a. allée
   b. allé
   c. allér

17. _____ sont allés à une boum.
   a. Mes soeurs
   b. Mes copains
   c. Nous

18. _____, tu vas téléphoner à ta tante.
   a. Hier soir
   b. Le mois dernier
   c. Demain

19. Ils ont vu un bon match de foot _____.
   a. samedi dernier
   b. demain
   c. samedi prochain

20. Hier matin, _____ un examen de maths.
   a. nous avons
   b. nous avons eu
   c. nous allons avoir

Leçon 8

1. À quelle heure est-ce que tu _____ pour l'école?
   a. pars
   b. sors
   c. dors

2. Le soir, j'aime _____ avec mes copines.
   a. sors
   b. sortir
   c. pars

3. Elles _____ en vacances.
   a. est partie
   b. sont parties
   c. sont parti

4. Nous sommes _____ ensemble.
   a. sortis
   b. sortons
   c. sortir

5. Les enfants _____ dans leur chambre.
   a. dort
   b. dorment
   c. dormons

6. Anne! Tu _____?
   a. dors
   b. dort
   c. dorment

7. Je suis fatigué! Je n'ai pas bien _____.
   a. sorti
   b. parti
   c. dormi

8. _____ est allée à l'école.
   a. Mon copain
   b. Ma soeur
   c. Mes amis

9. Les copains _____ entrés dans le café.
   a. sont
   b. ont
   c. sommes

10. Je ne suis pas sortie vendredi soir. Je suis _____ à la maison.
   a. resté
   b. restée
   c. restées

11. La mère et le père de Frédéric _____ descendus de l'avion.
   a. ont
   b. sont
   c. vont

12. Ils _____ visité le musée du Louvre à Paris.
   a. ont
   b. sont
   c. vont

13. Mon frère est parti lundi dernier et il est _____ hier soir.
   a. passé
   b. devenu
   c. rentré

Discovering
FRENCH
Nouveau!

BLANC

Unité 2
Resources

Multiple Choice Test Items

14. —Où est Sophie?
—Elle est _____ dans sa
   chambre.
   a. tombée
   b. montée
   c. sortie

15. Quand est-ce que ton copain
   _____ arrivé?
   a. a
   b. est
   c. va

16. Tu n' _____ pas allée au
   cinéma?
   a. es
   b. as
   c. est

17. Quand est-ce que ta famille a fait ce
   voyage?
   a. Depuis un mois.
   b. Le mois prochain.
   c. Il y un mois.

18. J'ai acheté mon jean _____.
   a. il y a dix jours
   b. demain
   c. depuis dix jours

19. Mes parents _____ en
   Europe il y a une semaine.
   a. partent
   b. sont partis
   c. vont partir

20. Pendant tes vacances, _____-tu
   été très fatigué?
   a. es
   b. est-ce que
   c. as

Discovering
FRENCH
Nouveau!

B L A N C

Speaking Performance Test Scoring Sheet

Unit 2

Name _____ Class _____

PART 1: Conversations: A B C D E F (circle one)

	A	B	C	D	F	O
Question 1						
Comprehension	5	4	3	2	1	0
Oral Response	8	7	6	5	4	0
Question 2						
Comprehension	5	4	3	2	1	0
Oral Response	8	7	6	5	4	0
Question 3						
Comprehension	5	4	3	2	1	0
Oral Response	8	7	6	5	4	0
Question 4						
Comprehension	5	4	3	2	1	0
Oral Response	8	7	6	5	4	0

PART 2: Tu as la parole: A B C D E F (circle one)

First Response	8	7	6	5	4	0
Second Response	8	7	6	5	4	0
Third Response	8	7	6	5	4	0
Fourth Response	8	7	6	5	4	0
Overall Fluency	16	14	12	10	4	0

TOTAL SCORE   _____ + _____ + _____ + _____ + _____ = _____

COMMENTS:

SCORING CRITERIA

	Comprehension	*Oral Response*	*Overall Fluency*
A	answered question after hearing it once at normal speed	creative, extensive response comprehensible to native speaker	spoke easily with no hesitation
B	answered question after hearing it repeated at slower speed	appropriate response comprehensible to native speaker	spoke with some hesitation
C	answered question after having it clarified or reworded	appropriate response, but only comprehensible to native speaker accustomed to foreigners	spoke with frequent hesitations
D	answered question after two repetitions or rewordings	partially appropriate response or response that is very difficult to understand	spoke haltingly with many starts and stops
F	misunderstood question	inappropriate response	spoke only a word or two
O	did not try to understand	did not respond	did not respond

UNITÉ 2 Reading Comprehension
Performance Test Answer Sheet

1. a. _____   2. a. _____   3. a. _____   4. a. _____   5. a. _____

   b. _____   b. _____   b. _____   b. _____   b. _____

   c. _____   c. _____   c. _____   c. _____   c. _____

6. a. _____   7. a. _____   8. a. _____   9. a. _____   10. a. _____

   b. _____   b. _____   b. _____   b. _____   b. _____

   c. _____   c. _____   c. _____   c. _____   c. _____

UNIT TEST 2 (Lessons 5, 6, 7, 8)

FORM A

Première Partie. Compréhension

CD 16, Track 5

1. La réponse logique (20 points)

You will hear a series of questions. Listen carefully to each question and select the most logical answer. On your test sheet, circle the corresponding letter: a, b, or c. You will hear each question twice.

Vous allez entendre une série de questions. Écoutez bien chaque question et choisissez la réponse logique à cette question. Marquez la lettre correspondante—a, b ou c—avec un cercle. Chaque question sera répétée. Écoutez le modèle.

Modèle: Qu'est-ce que tu vas faire à la piscine?
La réponse correcte est **"c": Je vais nager.**

Maintenant, commençons.

Un.	Tu vas sortir samedi après-midi?
Deux.	Où vas-tu rencontrer tes copains?
Trois.	Tu vas aider ta mère?
Quatre.	Tu vas prendre le métro?
Cinq.	Comment est-ce que tu vas aller au stade?
Six.	Pardon, monsieur. Où est-ce qu'on descend pour aller au Quartier Latin?
Sept.	Vous allez rester en ville ce week-end?
Huit.	Où allez-vous faire votre promenade à pied?
Neuf.	Ton frère aime aller à la pêche?
Dix.	Regarde cet animal dans l'arbre! Qu'est-ce que c'est?

Discovering
FRENCH
Nouveau!

BLANC
FORM B

Unité 2
Resources

Audioscripts

UNIT TEST 2 (Lessons 5, 6, 7, 8)

Première Partie. Compréhension

CD 16, Track 6

1. La réponse logique (20 points)

You will hear a series of questions. Listen carefully to each question and select the most logical answer. On your test sheet, circle the corresponding letter: a, b, or c. You will hear each question twice.

Vous allez entendre une série de questions. Écoutez bien chaque question et choisissez la réponse logique à cette question. Marquez la lettre correspondante—a, b ou c—avec un cercle. Chaque question sera répétée. Écoutez le modèle.

Modèle: Qu'est-ce que tu vas faire à la piscine?
La réponse correcte est **"c"**: **Je vais nager**.

Maintenant, commençons.

Un.   Tu vas sortir dimanche?

Deux.   Qu'est-ce que tu vas faire en ville?

Trois.   Tu vas aider ton père?

Quatre. Christine est à la plage?

Cinq.   Tu vas prendre le métro?

Six.   Comment est-ce que tu vas aller au café?

Sept.   Pardon, monsieur. Où est-ce qu'on descend pour aller à la Tour Eiffel?

Huit.   Vous allez faire une randonnée ce week-end?

Neuf.   Où allez-vous faire votre promenade à pied?

Dix.   Tu as un animal à la maison?

LISTENING COMPREHENSION PERFORMANCE TEST

CD 16, Track 7

Partie A: Scènes et situations

Look at the illustrations on your test sheet. You will hear fragments of conversations related to these scenes. Listen carefully to each sentence and determine whether it is related to Scene A, B, C, or D. Then circle the corresponding letter. You will hear each sentence twice. First, listen to the example. Écoutez le modèle.

▶ Je suis allée en ville.

You should have circled C. Let's begin. Commençons.

1. Je ne suis pas sorti.
2. Nous avons fait des achats.
3. À midi, nous avons fait un pique-nique.
4. J'ai fait une promenade à vélo avec un copain.
5. Sur le lac, j'ai vu des canards.
6. J'ai pris le bus et je suis rentrée chez moi.
7. J'ai nettoyé le garage et après j'ai lavé la voiture.
8. Mon frère est allé à la pêche mais il n'a pas pris de poisson.

CD 16, Track 8

Partie B: Conversations

You will hear six short conversations. These conversations are incomplete. Select the most logical continuation for each conversation and circle the corresponding letter. You will hear each conversation twice. Let's begin. Écoutez.

1. Nous sommes samedi après-midi. Claire téléphone à Jean-Pierre.

CLAIRE: Tu es sorti ce matin?
JEAN-PIERRE: Non, je suis resté à la maison.
CLAIRE: Pourquoi?
JEAN-PIERRE: Pour aider ma mère.
CLAIRE: Ah bon? Qu'est-ce que tu as fait?

Listen again and check your answer. Écoutez à nouveau et vérifiez votre réponse.

2. Monique et son cousin Patrick sont canadiens. Ils visitent Paris.

MONIQUE: Qu'est-ce qu'on fait cet après-midi?
PATRICK: On peut visiter la tour Eiffel!
MONIQUE: D'accord! On va là-bas à pied?
PATRICK: Ah non, c'est loin! Et je n'aime pas marcher.
MONIQUE: Alors, comment veux-tu aller là-bas?

Écoutez à nouveau et vérifiez votre réponse.

3. Corinne et Pierre parlent de leur week-end.

CORINNE: Qu'est-ce que tu as fait dimanche?
PIERRE: Je suis allé à la campagne avec mes parents. Nous avons fait un pique-nique.
CORINNE: Et après?
PIERRE: Nous avons fait une promenade dans la forêt.
CORINNE: Tu as vu des animaux?

Écoutez à nouveau et vérifiez votre réponse.

4 Nous sommes samedi soir. Véronique rentre chez elle. Son frère Philippe lui parle.

PHILIPPE: D'où viens-tu, Véronique?
VÉRONIQUE: Je suis allée au restaurant.
PHILIPPE: Quelqu'un a téléphoné pour toi.
VÉRONIQUE: Ah bon? Qui?
PHILIPPE: Ta copine Mélanie.
VÉRONIQUE: Quand est-ce qu'elle a téléphoné?

Écoutez à nouveau et vérifiez votre réponse.

5. François et sa copine Sylvie font une promenade à pied.

FRANÇOIS: Qu'est-ce que tu as fait samedi?

SYLVIE: Je suis allée dans les magasins.

FRANÇOIS: Tu as acheté quelque chose?

SYLVIE: Non, je n'ai rien acheté. Et toi? Qu'est-ce que tu as fait?

FRANÇOIS: J'ai vu un film.

SYLVIE: Et ensuite?

FRANÇOIS: Je suis allé dans un café.

SYLVIE: Tu as vu tes copains?

Écoutez à nouveau et vérifiez votre réponse.

6. Isabelle téléphone à Christophe.

ISABELLE: Qu'est-ce que tu as fait cet après-midi?

CHRISTOPHE: Je suis resté à la maison et j'ai regardé un match de foot à la télé.

ISABELLE: Avec ta soeur?

CHRISTOPHE: Non, elle est sortie avec une copine.

ISABELLE: Est-ce qu'elle est rentrée?

CHRISTOPHE: Oui, elle est dans sa chambre maintenant.

ISABELLE: Et qu'est-ce qu'elle fait?

Écoutez à nouveau et vérifiez votre réponse.

Partie C: Contexte

It is Monday. Marc and Sophie are having lunch in the school cafeteria. Marc is interested in knowing what Sophie did on Saturday. Although you may not understand every word of their conversation, you should be able to understand most of it. Écoutez.

MARC: Dis, Sophie, qu'est-ce que tu as fait samedi matin?

SOPHIE: Rien de spécial. Je suis restée à la maison.

MARC: Tu as fait tes devoirs?

SOPHIE: Non, j'ai rangé ma chambre. Ça prend toujours beaucoup de temps.

MARC: Et l'après-midi?

SOPHIE: Eh bien, j'ai pris mon vélo et j'ai fait un tour.

MARC: Ah bon? Tu es allée à la campagne?

SOPHIE: Non, je suis allée en ville.

MARC: Tiens! Qu'est-ce que tu as fait là-bas?

SOPHIE: J'ai fait des achats.

MARC: Qu'est-ce que tu as acheté?

SOPHIE: Un cadeau pour l'anniversaire de mon père.

MARC: Et après?

SOPHIE: Eh bien, je suis rentrée chez moi et j'ai dîné avec mes parents.

MARC: Alors, le soir tu es restée chez toi?

SOPHIE: Non, je suis sortie avec Jean-Claude. Nous avons vu une comédie américaine très amusante.

MARC: Dans quel cinéma?

SOPHIE: Nous ne sommes pas allés au cinéma. Nous sommes allés chez un copain et là nous avons regardé sa vidéo-cassette.

MARC: Ah d'accord, je comprends!

As you listen to the conversation a second time, fill in Sophie's calendar, writing where she went and what she did at various times last Saturday. Écoutez et écrivez.

Now listen one last time to check what you have written. Écoutez une dernière fois.

Unité 2
Resources

Answer Key

Discovering
FRENCH
Nouveau!

BLANC

UNITÉ 2   ANSWER KEY

Video Activities

Leçon 5: Les activités du week-end
(Pages 24–27)

Activité 1. Anticipe un peu!
Answers will vary.

Activité 2. Vérifie!
1. c
2. b
3. b
4. c
5. c

Activité 3. Qu'est-ce qu'on fait?
aller dans les magasins
aller au ciné
aller à la piscine
rester à la maison

Activité 4. Vrai ou faux?
1. F
2. V
3. F
4. F
5. V
6. F
7. F
8. V
9. V
10. V

Activité 5. Où?
dans les champs [#1, 3]
dans la forêt [#4, 5, 6, 8]
dans la rivière [#2, 7]

Activité 6. Qui?
1. Mariama
2. Mariama
3. Mariama
4. Mariama
5. Nicolas
6. Nicolas
7. Nicolas

Activité 7. Mots croisés

HORIZONTALEMENT
1. poisson
5. lac
9. écureil
11. lapin
12. vache
14. forêt
16. arbre
17. poule

VERTICALEMENT
2. oiseau
3. feuille
4. champ
6. cochon
7. canard
8. plante
10. rivière
13. cheval
14. fleur
15. prairie

Activité 8. Projets de week-end
Answers will vary

Leçon 6: Pierre a un rendez-vous
(Pages 64–67)

Activité 1. Et toi?
Answers will vary.

Activité 2. M. et Mme Duval
1. b
2. b
3. a
4. c

Activité 3. Pierre se prépare
veste, Armelle, cinéma

Activité 4. Responsabilités!
1. c
2. a
3. d
4. b

Tu as bien compris?
anniversaire

Expresssion pour la conversation
Don't worry.

Activité 5. T'en fais pas!
Answers will vary.

Activité 6. Méli-mélo
1. c
2. d
3. a
4. f
5. b
Students should have circled *e.*

Activité 7. Un jeu de rôle
Role plays will vary.

Leçon 7: Les achats de Corinne (Pages 98–103)

Activité 1. Tu te rappelles?
samedi, Armelle, au cinéma

Activité 2. Dans l'ordre, s'il te plaît!
a. 6
b. 4
c. 1
d. 5
e. 3
f. 2

Activité 3. Au café
1. b
2. b
3. c
4. b
5. c
6. b
7. a
8. a
9. c
10. c

Activité 4. Tu es écrivain
Answers will vary. Sample answer:
Pierre a retrouvé Armelle. Puis ils sont allés au cinéma. Ils ont vu "L'Homme Invisible". Après le film, ils ont fait une promenade dans la Vieille Ville. Ensuite, ils sont allés dans un café. Là, ils ont vu Corinne.

Expressions pour la conversation
A. Approval
B. "That's great (fantastic)!"

Activité 5. C'est marrant!
Answers will vary.

Activité 6. Un puzzle

Activité 7. Le bon verbe
1. a
2. ont
3. ont
4. sont
5. est

Activité 8. Le week-end dernier
Answers will vary. Sample answers:
Tu as fait une promenade?
Oui, j'ai fait une promenade.
(Non, je n'ai pas fait de promenade.)

Tu as acheté un magazine?
Oui, j'ai acheté un magazine.
(Non, je n'ai pas acheté de magazine.)

Tu as fait des achats?
Oui, j'ai fait des achats.
(Non, je n'ai pas fait d'achats.)

Tu es allé(e) dans un fast-food?
Oui, je suis allé(e) dans un fast-food.
(Non, je ne suis pas allé(e) dans un fast-food.)

Tu as pris un sandwich?
Oui, j'ai pris un sandwich.
(Non, je n'ai pas pris de sandwich.)

Tu as vu un film?
Oui, j'ai vu un film.
(Non, je n'ai pas vu de film.)

Tu as rangé ta chambre?
Oui, j'ai rangé ma chambre.
(Non, je n'ai pas rangé ma chambre.)

Tu as téléphoné à un copain/une copine?
Oui, j'ai téléphoné à un copain/une copine.
(Non, je n'ai pas téléphoné à un copain/une copine.)

Tu es rentré(e) avant minuit?
Oui, je suis rentré(e) avant minuit.
(Non, je ne suis pas rentré(e) avant minuit.)

Leçon 8: Tu es sorti? (Pages 134–139)

Activité 1. Tu te rappelles?

Answers will vary. Sample answers:
1. Ils sont allés au cinéma (puis dans un café).
2. Ils ont rencontré Corinne dans un café.
3. Elle lui a donné un crocodile.

Activité 2. Vérifie!
1. Ils sont allés au cinéma (puis dans un café).
2. Ils ont recontré Corinne dans un café.
3. Elle lui a donné un crocodile.

Activité 3. Chez les Duval
sept, dîner, rentré, un peu
Il est absent pendant cinq heures et demie.

Activité 4. Tout est bien qui finit bien!
1. vrai
2. faux
3. faux
4. vrai
5. faux
6. vrai
7. vrai
8. faux

Activité 5. Corrige, s'il te plaît!
2. deux
3. samedi
5. a passé
8. à table
Tu as remarqué?
ciné

Activité 6. À ton tour!
1. fac
2. resto
3. uni
4. biblio
Expression pour la conversation
"Don't get angry!"

Activité 7. Ne te fâche pas!
Answers will vary.

Activité 8. Où est Pierre?
1. Tu sais où est Pierre?
2. Mais oui, il est sorti.
3. Quand est-ce qu'il est parti?
4. Vers deux heures.
5. Il n'est pas encore rentré?
6. Ne te fâche pas, Jacques!

Activité 9. Au téléphone
Answers will vary.

Lesson Quizzes

Quiz 5

Part I: Listening

A. Conversations (30 points: 5 points each)
1. c
2. c
3. a
4. b
5. a
6. a

Part II: Writing

B. Qu'est-ce qu'ils vont faire? (30 points: 3 points each)
1. faire
2. voir
3. sortir
4. assister
5. ranger
6. laver
7. passer
8. partir
9. prendre
10. monter

C. À la campagne (20 points: 4 points each)
Five of the following:
un poisson, un écureuil, un oiseau, un cochon, un canard, une vache, un lapin, une poule, un cheval

D. Expression personnelle (20 points: 5 points each)
Answers will vary. Sample answers:
• Je vais partir à huit heures.
• Je vais prendre le bus.
• Je vais aller au cinéma pour voir un film policier.
• Je vais rentrer à onze heures.

Quiz 6

Part I: Listening

A. Conversations (30 points: 5 points each)
1. a
2. c
3. a
4. a
5. a
6. b

Part II: Writing

B. Oui et non (50 points: 5 points each)
1. as rangé / n'as pas fini
2. as téléphoné / n'as pas répondu
3. avez margri / n'avez pas grossi
4. avons joué / n'avons pas entendu
5. ont choisi / n'ont pas acheté

C. Expression personnelle (20 points: 5 points each)
Answers will vary. Sample answers:
• J'ai assisté à un concert de rock.
• J'ai rendu visite à mon cousin.
• Je n'ai pas écouté la radio.
• Je n'ai pas aide mes parents.

Quiz 7

Part I: Listening

A. Conversations (30 points: 5 points each)
1. b
2. c
3. c
4. a
5. b
6. a

Part II: Writing

B. Où sont-ils allés? Qu'est-ce qu'ils ont fair?
(30 points: 3 points each)
1. sont allés / ont vu
2. sont allées / ont fait
3. est allé / a pris
4. est allée / a mis
5. sont allés / ont eu

C. Non! (20 points: 5 points each)
1. ne vois rien
2. n'attends personne
3. n'ai rien fait
4. n'ai invité personne

D. Expression personnelle (20 points: 5 points each)
Answers will vary. Sample answers:
• Je suis allé(e) au cinéma le week-end dernier avec mon copain Simon.
• J'ai vu «Unforgiven» avec Clint Eastwood.
• J'ai beaucoup aimé le film.
• Après, nous sommes allés au café.

Quiz 8

Part I: Listening

A. Conversations (30 points: 5 points each)
1. c
2. a
3. b
4. b
5. b
6. c

Part II: Writing

B. Le voyage de Monique (30 points: 3 points each)
1. a voyagé
2. est arrivée
3. est restée
4. a visité
5. est montée
6. est partie
7. a rendu
8. a pris
9. est revenue
10. est rentrée

C. Dialogues (20 points: 2 points each)
1. sors / rester / dormir
2. passer / partir / rentrer
3. venu / arrivé / parti / Il y a

D. Expression personnelle (20 points: 5 points each)
Answers will vary. Sample answers:
• Je suis allé(e) à Aspen dans les Rockies du Colorado.
• J'ai passé cinq jours là-bas.
• J'ai fait du ski.
• Je suis rentré(e) le 15 mars.

Communipak

Interviews
Answers will vary. Sample answers:

Interview 1
Je suis rentré(e) chez moi à trois heures.
J'ai dîné à six heures et demie.
Oui, j'ai aidé ma mère. J'ai mis la table.
J'ai regardé un match de tennis à la télé.

Interview 2
Je suis parti(e) de chez moi à sept heures et quart.
Je suis venu(e) à l'école en bus.
Je suis arrivé(e) à l'école à huit heures moins dix.
Oui, j'ai eu un cours d'anglais.

Interview 3
J'ai vu «Legends of the Fall».
J'ai vu ce film au cinéma Loew's.
Après le film, je suis allé(e) chez mon ami(e).
Je suis rentré(e) chez moi à onze heures.

Interview 4
Je suis sorti(e) avec mon copain Gérard.
Nous sommes allés en ville.
Nous avons fait des achats.
Je suis rentré(e) chez moi à cinq heures.

Interview 5
Je suis allé(e) là-bas à vélo.
J'ai fait un pique-nique avec ma copine Annie.
J'ai vu des animaux et des oiseaux.
Oui, j'ai pris des photos des fleurs.

Interview 6
J'ai assisté à un match de basket.
Je suis allé(e) à ce match avec mes copains.
Notre lycée a gagné.
Smithtown High a perdu.

Interview 7
J'ai dîné dans un restaurant le mois dernier.
Je suis allé(e) au cinéma samedi dernier.
Je suis allé(e) à la piscine l'été dernier.
J'ai assisté à un match de baseball il y a deux ans.

Interview 8
J'ai appris à marcher à l'âge de dix mois.
J'ai appris à parler à l'âge d'un an.
J'ai appris à nager à l'âge de six ans.
J'ai appris à nager à la piscine près de chez moi.

Tu as la parole
Answers will vary. Sample answers:

Tu as la parole 1
J'ai vu des chevaux, des écureuils, des vaches, des oiseaux et des cochons.

Tu as la parole 2
J'aime laver la voiture et j'aime regarder la télé.
Je n'aime pas ranger ma chambre et je n'aime pas faire du baby-sitting.

Tu as la parole 3
J'ai nagé dans un lac et je suis allé(e) à la pêche.
Je n'ai pas fait de promenade à cheval et je n'ai pas visité de ferme.

Tu as la parole 4
Je suis sorti(e) avec Marc, Denise et Claire.
Nous sommes allés au cinéma.
Nous avons vu le nouveau film de Brad Pitt.
Je suis rentré(e) chez moi à minuit.

Tu as la parole 5
Je suis allé(e) au centre commerciale.
J'ai acheté un pantalon et des tee-shirts.
J'ai retrouvé Thomas et Marielle.
Nous sommes allés au café.

Tu as la parole 6
Je suis resté(e) à l'hôtel Hilton.
J'ai visité la Statue de la Liberté et l'Empire State Building.
J'ai fait une promenade dans Central Park et j'ai fait des achats.
J'ai beaucoup aimé la ville.

Conversations

Conversation 1 *(sample answers)*

Questions:
Qui a organisé la boum?
Combien de personnes sont venues?
Qui as-tu rencontré?
À quelle heure est-ce que la boum a fini?
Answers:
Mon copain Georges a organisé la boum.
Vingt personnes sont venues.
J'ai rencontré une fille de Martinique.
La boum a fini à minuit.

Conversation 2 *(sample answers)*

Questions:
À quelle heure est-ce que tu es allé(e) à la plage?
As-tu pris un bain de soleil?
As-tu fait une promenade?
Quand est-ce que tu es rentré(e)?
Answers:
Je suis allé(e) à la plage à onze heures.
Oui, j'ai pris un bain de soleil.
Non, je n'ai pas fait de promenade.
Je suis rentré(e) à cinq heures.

Conversation 3 *(sample answers)*

Questions:
Êtes-vous allé(e)s à Montréal?
Avez-vous parlé français ou anglais?
Êtes-vous resté(e)s à l'hôtel ou avec des amis?
Avez-vous aimé votre voyage?
Answers:
Oui, nous sommes allé(e)s à Montréal.
Nous avons parlé français et anglais.
Nous sommes resté(e)s avec des amis.
Oui, nous avons aimé notre voyage.

Conversation 4 *(sample answers)*

Questions:
As-tu rencontré des élèves français?
As-tu pris le métro?
Es-tu monté(e) à la Tour Eiffel?
Qu'est-ce que tu as acheté?
As-tu acheté quelque chose pour moi? Quoi?
Answers:
Non, je n'ai pas rencontré d'élèves français.
Oui, j'ai pris le métro.
Oui, je suis monté(e) à la Tour Eiffel?
J'ai acheté beaucoup de souvenirs.
Non, je n'ai rien acheté pour toi.

B L A N C

Conversation 5 (sample answers)

Questions:
Est-ce que tu as eu un accident?
Est-ce que tu es tombé(e) de ton vélo?
Est-ce que tu es allé(e) à l'hôpital?
Answers:
Oui, j'ai eu un accident.
Non, je suis tombé(e) d'une chaise.
Oui, je suis allé(e) à l'hôpital.

Conversation 6 (sample answers)

Questions:
Êtes-vous sorti(e)s?
Où êtes-vous allé(e)s?
Où avez-vous déjeuné?
Qu'est-ce que vous avez fait après?
Answers:
Oui, nous sommes sorti(e)s.
Nous sommes allé(e)s au centre commercial.
Nous avons déjeuné à un petit café.
Après, nous sommes allé(e)s au ciné.

Conversation 7 (sample answers)

Questions:
Quand est-ce que ma cousine Lucie a téléphoné?
Quand est-ce que mon frère est rentré?
Quand est-ce que ma mère est partie?
Quand est-ce que le facteur est venu?
Answers:
Elle a téléphoné à une heure et demie.
Il est rentré à deux heures et quart.
Elle est partie à trois heures moins le quart.
Il est venu à trois heures dix.

Conversation 8 (sample answers)

Questions:
Est-ce que tu entends quelque chose?
Est-ce que tu vois quelque chose?
Est-ce que tu entends quelqu'un?
Est-ce que tu vois quelqu'un?
Answers:
Oui, j'entends quelque chose.
Non, je ne vois rien.
Oui, j'entends quelqu'un.
Non, je ne vois personne.

Échanges

Échanges 1

Answers will vary.

Échanges 2

Answers will vary.

Échanges 3

Answers will vary.

Tête À Tête

Activité 1 Samedi et dimanche

Élève A (sample answers):
a. Samedi matin, j'ai rangé ma chambre.
Samedi après-midi, j'ai lavé la voiture.
Samedi soir, je suis sorti(e) avec un copain.
Dimanche matin, je suis allé(e) à l'église.
Dimanche après-midi, j'ai vu un film à la télé.
Dimanche soir, j'ai fait mes devoirs.
b. samedi matin: aider sa mère
samedi après-midi: faire des achats
samedi soir: aller à une boum
dimanche matin: aller chez un copain
dimanche après-midi: aller en ville
dimanche soir: préparer ses leçons

Élève B (sample answers):
a. samedi matin: ranger sa chambre
samedi après-midi: laver la voiture
samedi soir: sortir avec un copain
dimanche matin: aller à l'église
dimanche après-midi: voir un film à la télé
dimanche soir: faire ses devoirs
b. Samedi matin, j'ai aidé ma mère.
Samedi après-midi, j'ai fait des achats.
Samedi soir, je suis allé(e) à une boum.
Dimanche matin, je suis allé(e) chez un copain.
Dimanche après-midi, je suis allé(e) en ville.
Dimanche soir, j'ai préparé mes leçons.

Activité 2 Un samedi d'été

Élève A (sample answers):
a. Je suis allé(e) à la plage.
Je suis allé(e) là-bas à vélo.
Je suis parti(e) à neuf heures du matin.
J'ai pris un bain de soleil.
Je suis rentré(e) chez moi à six heures du soir.
Après le dîner, j'ai fait les devoirs.
b. Où est-ce que tu es allé(e)?
à la campagne
Comment est-ce que tu es allé(e) là-bas?
à pied
À quelle heure est-tu parti(e)?
à midi
Qu'est-ce que tu as fait?
prendre des photos
À quelle heure es-tu rentré(e) chez toi?
5 heures de l'après-midi
Qu'est-ce que tu as fait après le dîner?
voir un film à la télé

Élève B (sample answers):
a. Ou est-ce que tu es allé(e)?
à la plage
Comment est-ce que tu es allé(e) là-bas?
à vélo
À quelle heure es-tu parti(e)?
9 heures du matin
Qu'est-ce que tu as fait?
prendre un bain de soleil
À quelle heure es-tu rentré(e) chez toi?
6 heures du soir
Qu'est-ce que tu as fait après le dîner?
faire les devoirs
b. Je suis allé(e) à la campagne.
Je suis allé(e) là-bas à pied.
Je suis parti(e) à midi.
J'ai pris des photos.
Je suis rentré(e) chez moi à cinq heures de l'après-midi.
Après le dîner, j'ai vu un film à la télé.

Activité 3 Un voyage

Élève A (sample answers):
a. lundi: 3   Je suis allé(e) à Notre-Dame
mardi: 5   Je suis sorti(e) avec des copains français.
mercredi: 2   J'ai vu le Musée d'Orsay.
jeudi: 4   J'ai dîné dans un bon restaurant.
vendredi: 1   Je suis monté(e) à la Tour Eiffel.
samedi: 6   J'ai fait des achats.
dimanche: 7   Je suis allé(e) au Quartier Latin.
b. lundi: aller à l'île d'Orléns
mardi: faire une promenade dans le Vieux Québec
mercredi: acheter des souvenirs
jeudi: visiter les plaines d'Abraham

vendredi: monter au Château Frontenac
samedi: voir un match de hockey
dimanche: sortir avec une copine canadienne

Élève B (sample answers):
a. lundi: aller à Notre-Dame
mardi: sortir avec des copains français
mercredi: voir le Musée d'Orsay
jeudi: dîner dans un bon restaurant
vendredi: monter à la Tour Eiffel
samedi: faire des achats
dimanche: aller au Quartier Latin
b. lundi: 5   Je suis allé(e) à l'île d'Orléans.
mardi: 1   J'ai fait une promenade dans le Vieux Québec.
mercredi: 7   J'ai acheté des souvenirs.
jeudi: 4   J'ai visité les plaines d'Abraham.
vendredi: 6   Je suis monté(e) au Château Frontenac.
samedi: 3   J'ai vu un match de hockey.
dimanche: 2   Je suis sorti(e) avec une copine canadienne.

Activité 4 Détectives

Élève A (sample answers):
a. d'abord: Il est allé au Café du Contact.
Il est resté une heure.
Il a joué aux jeux vidéo.
après: Il est allé à l'Hôtel Napoléon.
Il est resté 30 minutes.
Il a rencontré un ami.
finalement: Il est allé aux Galeries Modernes.
Il est resté 20 minutes.
Il a mis une fausse barbe.
b. d'abord: au Musée d'Art Moderne
40 minutes
Elle a téléphoné.
après: au Centre Audiovisuel
30 minutes
Elle a mis un appareil-photo dans son sac.
finalement: au Restaurant Novembre
une heure et demie
Elle est allée à la cuisine.

Élève B (sample answers):
a. d'abord: au Café du Contact
une heure
Il a joué aux jeux vidéo.
après: à l'Hôtel Napoléon
30 minutes
Il a rencontré un ami.
finalement: aux Galeries Modernes
20 minutes
Il a mis une fausse barbe.
b. d'abord: Elle est allée au Musée d'Art Moderne.
Elle est restée 40 minutes.
Elle a téléphoné.
après: Elle est allée au Centre Audiovisuel.
Elle est restée 30 minutes.
Elle a mis un appareil-photo dans son sac.
finalement: Elle est allée au Restaurant Novembre.
Elle est restée une heure et demie.
Elle est allée à la cuisine.

Unit Test Lessons 5, 6, 7, 8

Form A

Première Partie: Comprehension

1. La réponse logique (20 points)

1. c	5. c	9. c
2. a	6. a	10. c
3. b or c	7. b	
4. a	8. b	

Deuxième Partie: Vocabulaire et Structure

2. Le choix logique (24 points)

1. b	5. b	9. b
2. c	6. a	10. b
3. b	7. a	11. b
4. c	8. a	12. b

3. Qu'est-ce qu'ils font? (8 points)

1. voyez	5. pars
2. mets	6. apprennent
3. sors	7. dors
4. prenons	8. voient

4. Un week-end à Québec (20 points)

1. est arrivée	6. a été
2. sont restés	7. sont venus
3. avons assisté	8. avez pris
4. avez visité	9. est sorti
5. as fait	10. sommes allé(e)s

5. Contextes et dialogues (8 points)

A. quelqu'un; personne; déjà; Il y a
B. il y a; ce soir; d'abord; ensuite

Troisième Partie: Expression Personnelle

6. Un week-end à la campagne (20 points)
Answers will vary.

Form B

Première Partie: Comprehension

1. La réponse logique (20 points)

1. a	5. b	9. b
2. b	6. c	10. a*
3. b or c	7. c	
4. c	8. b	

* For students in farming communities, b or c may also be valid answers.

Deuxième Partie: Vocabulaire et Structure

2. Le choix logique (24 points)

1. b	5. c	9. b
2. b	6. b	10. b
3. c	7. b	11. a
4. b	8. a	12. b

3. Qu'est-ce qu'ils font? (8 points)

1. voyons	5. sors
2. met	6. apprennent
3. dors	7. pars
4. prenez	8. voient

4. Un week-end à Paris (20 points)

1. avons visité	6. avez vu
2. as fait	7. sont allés
3. est montée	8. a pris
4. a dîné	9. a vendu
5. sont sorties	10. sont venus

5. Contextes et dialogues (8 points)

A. prochain; rien; quelque chose; ensuite
B. déjà; jamais; prochain; Pendant

Troisième Partie: Expression Personnelle

6. Un tour à la campagne (20 points)
Answers will vary.

Listening Comprehension Performance Test

A. Scènes et situations (40 points: 5 points per item)

1. B	4. A	7. B
2. C	5. D	8. D
3. A	6. C	

B. Conversations (30 points: 5 points per question)

1. c	3. c	5. a
2. b	4. b	6. b

C. Contexte (30 points: 5 points per item of information)

MATIN:	à la maison ranger sa chambre
APRÈS-MIDI:	en ville faire des achats
SOIR:	chez un copain regarder une vidéo-cassette

Reading Comprehension Performance Test

1. a	5. b	9. a
2. c	6. b	10. b
3. a	7. c	
4. c	8. b	

Writing Performance Test

Please note that the answers provided are suggestions only. Student responses will vary.

1. À la campagne (12 points: 2 per item)

- des canards
- des poules
- des lapins
- un écureuil
- un cheval
- des vaches
- des oiseaux
- des cochons

Dimanche après-midi à la campagne, j'ai vu . . .

2. Samedi dernier (24 points: 4 per sentence)

Oui
- J'ai assisté à un match de basket.
- J'ai rencontré des copains.
- Je suis allé(e) au restaurant.

Non
- Je n'ai pas fini mes devoirs.
- Je ne suis pas resté(e) chez moi.
- Je n'ai pas vu ma cousine.

3. Hier (24 points: 4 per sentence)

Ma journée d'hier
- J'ai pris le bus.
- Je suis arrivé(e) à l'école à huit heures.
- J'ai eu cinq cours différents.
- Je suis rentré(e) chez moi à trois heures et demie.
- Avant le dîner, j'ai fait mes devoirs.
- Après le dîner, j'ai vu une comédie à la télé.

4. Une sortie (20 points: 4 per sentence)

Une sortie
- Je suis sorti(e) avec mes cousins.
- Je suis parti(e) de chez moi à six heures.
- Nous sommes allé(e)s à un concert.
- Nous avons écouté un groupe de rock.
- Après, nous avons mangé une pizza.

5. Composition libre (20 points: 4 points per sentence)

A Chère Nathalie,
Le week-end dernier, je suis allé(e) chez mon oncle qui a une ferme à la campagne. Je suis arrivé(e) samedi matin.
Samedi après-midi, je suis allé(e) à la pêche avec mes cousins, mais je n'ai pas pris de poissons.
Dimanche, nous avons fait une promenade dans la forêt. J'ai vu beaucoup d'oiseaux et d'écureuils. Je suis rentré(e) chez moi dimanche soir.
Et toi, qu'est-ce que tu as fait le week-end dernier?

Suggested Answers
Please note that the answers provided are suggestions only. Student responses will vary.

B Ma chère Véronique,
J'ai passé une semaine super à Paris!
Je suis arrivé(e) lundi dernier.
D'abord je suis allé(e) à l'hôtel et ensuite j'ai retrouvé ma cousine Isabelle.
Nous avons pris le métro et nous avons visité les monuments: la Tour Eiffel, l'Arc de Triomphe et les Invalides. Enfin nous avons mangé dans un restaurant italien.
Pendant la semaine j'ai visité des musées, j'ai assisté à un concert de rock et je suis allé(e) dans une discothèque.
Je suis parti(e) dimanche soir.

C Thomas est arrivé samedi matin. Nous sommes allés en ville et nous avons fait des achats. J'ai acheté deux CD. À midi nous avons mangé une pizza. L'après-midi nous avons joué au tennis, et le soir nous sommes allés à une boum chez Christine. Dimanche matin nous sommes allés à la plage. D'abord nous avons mis nos maillots de bain et nous avons nagé. Ensuite nous avons fait un pique-nique. Finalement Thomas est rentré chez lui.

Multiple Choice Test Items

Leçon 5

1. a.	2. a.	3. c.
4. b.	5. c.	6. a.
7. b.	8. b.	9. a.
10. a.	11. a.	12. b.
13. c.	14. a.	15. c.
16. c.	17. a.	18. b.
19. c.	20. b.	

Leçon 6

1. c.	2. b.	3. c.
4. a.	5. b.	6. c.
7. a.	8. c.	9. a.
10. b.	11. c.	12. b.
13. a.	14. a.	15. c.
16. c.	17. a.	18. b.
19. a.	20. b.	

Leçon 7

1. c.	2. a.	3. b.
4. a.	5. c.	6. b.
7. b.	8. c.	9. a.
10. b.	11. a.	12. a.
13. a.	14. b.	15. c.
16. a.	17. b.	18. c.
19. a.	20. b.	

Leçon 8

1. a.	2. b.	3. b.
4. a.	5. b.	6. a.
7. c.	8. b.	9. a.
10. b.	11. b.	12. a.
13. c.	14. b.	15. b.
16. a.	17. c.	18. a.
19. b.	20. c.	